Os 7 Vocábulos

Os

Armando Avena

7 Vocábulos

1ª edição – Outubro de 2021

Grafia atualizada segundo o Acordo Ortográfico da Língua Portuguesa
de 1990, que entrou em vigor no Brasil em 2009.

Editor e Publisher
Luiz Fernando Emediato

Diretora Editorial
Fernanda Emediato

Assistente Editorial
Ana Paula Lou

Capa, Projeto Gráfico e Diagramação
Alan Maia

Preparação
Josias Andrade

Revisão
Nanete Neves

**Dados Internacionais de Catalogação na Publicação (CIP)
de acordo com ISBD**

A951s Avena, Armando
Os 7 vocábulos / Armando Avena. - São Paulo :
Geração Editorial, 2021.
152 p. : 15,6cmx 23cm.

ISBN: 978-65-5647-043-6

1. Literatura brasileira. 2. Contos. I. Título.

2021-3537 CDD 869.8992301
CDU 821.134.3(81)-34

Elaborado por Odilio Hilario Moreira Junior - CRB-8/9949

Índice para catálogo sistemático:
1. Literatura brasileira : Contos 869.8992301
2. Literatura brasileira : Contos 821.134.3(81)-34

GERAÇÃO EDITORIAL
Rua João Pereira, 81 – Lapa
CEP: 05074-070 – São Paulo – SP
Telefone: +55 11 3256-4444
E-mail: geracaoeditorial@geracaoeditorial.com.br
www.geracaoeditorial.com.br

Impresso no Brasil
Printed in Brazil

Índice

Literatura...........15

Literatura.......... 27

Juventude.......... 45

Deus 57

Sexo................. 85

Paixão 95

Armand 103

Morteouamor......115

I

O papel se foi pelos ares, invadindo a noite escura como uma pequena lua amassada. O escritor levantou-se irado, e as mãos, que antes perscrutavam as palavras, pousaram na bengala, erguendo-a com raiva para desbaratar livros, papéis e rascunhos — a tela de cristal líquido não escapou à fúria, desfazendo-se em pequenos pedaços cristalinos que pareciam carregar frases inteiras — logo, elas estariam apoiando um rosto crispado e colhendo uma gota de água vertida candidamente de olhos avermelhados pelo fumo que a aragem da noite não conseguia dissipar.

O autor tocou nas páginas rasgadas e sublinhou as frases com os dedos, como se desejasse sentir o relevo de cada palavra; deteve-se numa letra, acompanhando-lhe a sinuosidade; com a unha, quis sentir a espessura de um travessão; com a pele experimentou a aspereza do papel. Dir-se-ia que buscava apreender a superfície que abrigava os sinais ou desvendar a mágica que transformava pensamentos em signos. De repente a bengala ergueu-se novamente, atacou no ar um inimigo invisível para depois varrer os escritos pousados na mesa, ao tempo em que uma voz desconsolada se fazia ouvir no aposento vazio:

— Letras, malditas letras! Levaram-me às montanhas mais íngremes, não para que eu pudesse contemplar o mundo a meus pés, mas apenas para arremessar do alto todos os meus anseios. De que me valeram as letras, às quais dediquei os anos de minha vida? Que riquezas trouxeram ao meu espólio, que notoriedade lograram presentear-me? Nem fama, nem riqueza, embora mil páginas eu tenha escrito. Tampouco reconhecimento ou louvor, ainda que, à semelhança de Deus, vida eu tenha criado. A literatura nada me deu, e dela eu esperava tudo. Deu-me apenas o desapontamento que me oprime.

As lágrimas correram de novo pela face do escriba, sua mão abandonou a bengala e procurou o cálice que o líquido verde tornava fosforescente. O trago não acalmou sua cólera nem arrefeceu seu desespero, muitos outros já vertera naquela noite sem que fosse possível aplacar sua dor. Mais que a bebida, eram as palavras que, lançadas a esmo, pareciam acalmá-lo:

— A glória era o meu anseio. Ela impelia o lápis a rabiscar a página, era a goma artesanal que unia as palavras e amoldava os versos. Escrever era, para mim, a vereda que conduzia à celebridade, ainda que meus pares não compartilhassem o mesmo juízo. Alguns, eu sabia, contentavam-se com o próprio aplauso; a outros não obsedavam a aclamação, e havia aqueles para os quais a escrita era uma forma de oração, que levava a graça plena ainda que fosse duvidosa a atenção de Deus. A mim, não. A mim interessava, acima de tudo, o aceite da crítica ou a ovação do público. Eu queria ser amado, e a literatura tornou-se-me o instrumento de sedução. Mas nada resultou daí, nem a anuência manifesta, tampouco a crítica mordaz. A arte com que eu pretendia cativar os homens não lhes tocou a alma, não lhes entusiasmou o espírito. A indiferença! Apenas isso recebi em troca do meu devaneio literário.

Cansado, o autor jogou-se sobre a mesa, os braços estirados. O solo parecia mover-se, o teto transformara-se em abóbada giratória que fazia voltear a luz. O grande *perro* aninhou-se ao seu lado, o rosto apergaminhado iluminou-se com a atenção, o pelo tornou-se hirsuto à espera do gesto de afeto:

— Meu pobre Dost, não sou como o Doutor, capaz de apreender as artes da magia, nem você é o "cão negro que erra pelo restolho", mas, ainda assim, invoco os demônios para que me respondam: sou verdadeiramente um escritor? E pode alguém sê-lo sem que a humanidade saiba da sua existência? Que me respondam os gênios do mal! Invoco-os a todos! A Mefistófeles, que elucidou dúvidas maiores que as minhas; a Lúcifer, que desafiou a Deus. Invoco-os todos para que me respondam: sou, acaso, um escritor?

O som cavernoso que contestou a indagação veio do umbral da porta, mas parecia derivar dos círculos profundos do inferno.

— Isso você terá de provar! Ao mundo e a si mesmo.

O escritor voltou-se impressionado e, por um momento, acreditou na força de sua invocação. Mas a réstia de luz que teimava em iluminar o aposento não deu azo à sua volição mística e, mirando o sorriso cáustico que ele tantas vezes fora obrigado a encarar, reconheceu seu editor. Nostálgico, percebeu quão mediano era o tempo em que, ao se invocar demônios, apresentavam-se os editores. Retrucou, sem esconder o abatimento:

— A mim nada preciso provar. Quanto ao mundo, presenteou-me com a indiferença.

A passos de gnomo, comprazendo-se do efeito que havia causado sua aparição, o editor aproximou-se e replicou:

— A indiferença é o castigo que pune sua presunção. Como espera o reconhecimento, se a todo momento anuncia que o almeja? A humanidade só aclama aquele que finge não desejar o aplauso, ou o que se crê incapaz de alcançá-lo.

— Então é a hipocrisia que dá asas ao sucesso?

— Não sei, penso que o homem louva apenas quem se parece com ele, por isso acredita na celebridade indesejada ou na glória inesperada, na esperança de que também seja bafejado por elas. Aliás, você, que tanto anseia pelo reconhecimento, deveria dar ao público o que o público anseia. Escreva um livro que seu vizinho seja capaz de ler e assim alcançará as listas dos mais vendidos.

O escritor fez uma careta de reprovação, pensou em não objetar, mas o fez:

— Meu vizinho não leria um parágrafo de *Ulisses*, e no entanto, Joyce é o mais aclamado dos escritores modernos.

— Joyce alcançou a glória, porque ninguém o leu. Aliás, esta é outra maneira de obter notoriedade. Alguns iniciados leem um livro e espalham pelo mundo a genialidade do seu autor, tornando-se assim igualmente geniais, pois que ninguém, senão eles, o foram capazes de ler.

— Haveria editor para aquele original? — questionou o autor.

— *Dubliners* foi rejeitado por dezenas de editores, e até os tipógrafos recusaram-se a compô-lo. E o *Finnegan's Wake*, acha que alguém o publicaria? Não, seria difícil comparecer a esse velório. Mas sabe por quê? Quando quis publicar *Dubliners*, Joyce não era ninguém, mas depois que a crítica se encantou com o *Ulisses* qualquer coisa que ele escrevesse encontraria editor. Assim é a vida, assim é o mercado.

— À margem do verdemuco, o editoresnobe desfia suas máximas. — A tréplica veio com irrisão.

— Não seja grosseiro!

O escritor calou-se, não conseguia explicar a antipatia que sentia por seu editor e surpreendeu com inquietação uma ideia má formando-se em seu pensar. Sinuosa, ela tomou a forma de uma condicional, sabendo-se injustificável como afirmação: "se houvesse uma razão, acho que seria capaz de matar esse homem". Admirou-se com a desenvoltura desse pensamento sinistro e espantou-o, embora soubesse que ele encontraria no cérebro algum cacifo maligno para acomodar-se. Resolveu pôr fim ao encontro:

— Deixe-me em paz! Nesta noite, mais prazer me traria a vinda do Demônio.

— O Demo já não se presta a assessorar escritores, ainda mais aqueles que ainda duvidam que o são — rebateu, aplaudindo o próprio mote.

"— Diz-me quem é o teu editor e dir-te-ei que escritor és", pensou em replicar, maldizendo a si mesmo, mas preferiu calar-se. Resolveu ignorá-lo, mas logo se deu conta de que era impossível desconhecer quem tinha o poder de imprimir suas palavras. Sem esconder a má vontade, emburrou-se. O homem voltou a falar:

— Não se aborreça com minhas tiradas, venho aqui lhe propor uma aposta, um jogo de regras simples, que será capaz de responder à indagação que o atormenta.

— Que indagação?

— Ao entrar na biblioteca, você indagava-se se era um escritor — respondeu, desenhando um sorriso nos lábios finos.

— Indagava aos demônios, e não tenho ilusão quanto à possibilidade de ser contestado.

O visitante reagiu:

— Um bom editor é uma espécie de demônio, capaz de forjar escritores. Aliás, vim aqui para isso: para transformá-lo num escritor.

— Não pode me transformar no que já sou.

— Há pouco você se indagava se alguém poderia sê-lo sem que a humanidade o saiba.

— Está bem, saúdo quem tudo sabe e tudo pode — aquiesceu com resignação estudada e pôs-se a andar pelo aposento. Tomou um gole de absinto, e concluindo pela inutilidade de sua abominação, encarou o editor, questionando-o com calma:

— O que quer de mim?

— Um livro, ora essa! Um livro de contos, se possível com ingredientes que possam torná-lo um *best-seller*.

— Creio ser impossível. De mim fugiram as ideias, os temas esvaeceram-se, as palavras amotinaram-se.

— Se a alma de escritor habita o seu corpo, não será difícil encarcerar novamente as letras. Faço-lhe uma proposta: em tempo semelhante ao que Deus necessitou para criar o mundo, escreva um livro de contos, entre 70 e 200 laudas, nem mais, nem menos. Em troca, lhe darei a celebridade.

— Não gosto do método. Embora ache bela a prosa de Deus, não me agradam os personagens que Ele criou. Além disso, faltam-me a inspiração e o tema.

O homem pôs-se a passear pela sala, mas vez por outra estacava, olhando para o cão que dormia. A presença peluda parecia aborrecê-lo. Procurou ignorá-lo e disse:

— O tema eu lhe darei, e se corre em suas veias o sangue de escritor, não será difícil buscar a inspiração.

— Não há tema sobre o qual eu não possa discorrer, mas temo não estar interessado na oferta.

— Ofereço-lhe a notoriedade, e você sabe que lha posso dar — retrucou, fazendo pose de benfeitor.

— Se pudesse, já ma teria ofertado.

— Talvez, mas lha presenteio agora.

Aquelas palavras despertaram Dost, que rosnou baixinho, avisando que a oferta era uma armadilha urdida por quem conhece a vaidade dos homens. Aproximou-se do dono, arranhou-o com a pata e não reclamou do leve pontapé que lhe cutucou as entranhas. O escritor não podia acatar a advertência do cão, afinal não se recusa o que se cobiça.

Ficou a meditar por um instante, enquanto o aceite se esboçava vagarosamente em seu rosto.

— Muito bem, o que mais lhe sabe: contos policiais decalcados em Poe ou narrativas machadianas? O que mais lhe convém?

— O que lhe aprouver, apenas uma condição: sete noites, sete vocábulos. A cada noite virei aqui e deixarei um tema; e sobre ele você escreverá um conto, à sua maneira, desde que me seja entregue na noite seguinte, quando lhe apresentarei um novo vocábulo.

— O que vem a ser isso? — inquiriu o escritor, irônico.

— Um jogo, um jogo como outro qualquer, e há outros jogadores. Hoje é comum entre os editores escolher um tema — morte, pecados capitais, sexo, coisas assim — e dá-lo a alguns escritores para ver o que fazem com ele. Mais que a história, vale a forma como são escritas, obedecendo a um desafio. Isso agrada ao público.

— Então sou apenas mais um?

— Sim, mas seu livro pode ser o melhor entre todos. Você pode ser escolhido entre centenas de outros. Lembre-se: este livro pode lhe abrir as portas da celebridade.

— Está bem, escreverei o livro, embora não creia no seu poder de fazer deuses. Mas lembre-se, lhe darei apenas um punhado de palavras.

— E o que mais eu poderia querer? Sua alma?

— Não se pode ter a alma de quem já não a tem.

— Foi apenas uma brincadeira. Não desejo sua alma, não saberia o que fazer com ela. Contento-me com os originais.

Satisfeito, ele fez um leve trejeito com as mãos e caminhou em direção à porta. Virou-se antes de sair e disse, sorrindo:

— Não vai me perguntar qual o vocábulo?

— Você não sairia sem dizê-lo.

— Literatura. Este é o primeiro vocábulo.

Literatura

Nunca acreditei que Beatriz Elena Viterbo estivesse morta; tudo me levava a crer que era mais uma trampa de Borges, contumaz embromador que se tornava arqueólogo para melhor desencavar textos fossilizados de pena alheia, ainda que seus achados fossem, não raro, tesouros esquecidos na tumba da literatura. A crença não é objeto da razão e trazia-a comigo, pura, sem ciência ou suspeita que lhe qualificasse, até que um portenho me levou a conhecer uma casa abandonada, nos arrabaldes de Buenos Aires.

Concluí que Beatriz não havia morrido quando me deparei com a velha casa, tão enraizada quanto a da rua Garay e onde esperava encontrar uma edificação moderna ou um prédio em estilo funcional, semelhante àqueles que se começavam a construir nos anos sessenta; encontrei uma fachada antiga em arredondado estilo neogótico. Metediço, resolvi entrar, e meio desorientado, quedei-me a refletir na abarrotada salinha que se me apresentou, se aquela casa não seria a mesma em que Beatriz havia comemorado seu casamento com Roberto Alessandri; sei que minha doença exacerba qualquer raciocínio tornando-o circular e creditei aquela impressão ao fosso que se formava entre meus neurônios, continuando a apreciar o mobiliário antigo que entulhava o ambiente, até que uma escrivaninha com patas de leão trouxe-me a certeza de que era ali que Beatriz escrevia cartas obscenas a Carlos Argentino Daneri.

As minúsculas gavetas que compunham a parte inferior do móvel eram perfeitamente idênticas, não fosse por uma delas que, central, embora inexplicavelmente situada no flanco esquerdo, apresentava um cadeado de prata, objeto de cuja antiguidade pré-barroca podia-se inferir indiscutivelmente sua posse a Borges. Não me foi difícil forçar o ferrolho e, com efeito, as palavras que adormeceram nos papelotes amarelados que ali estavam fariam corar o mais empedernido conquistador: tratava-se da corte que uma mulher fazia a seu primo-irmão. Entendi então de onde provinha a aversão que Borges votava a Carlos Argentino e que, por muito tempo, acreditei ser resultante do repúdio ao pedante e heterogêneo aranzel de lugares-comuns que ele havia composto como se fosse um poema.

Descobri também, comparando cuidadosamente a data das missivas, que no primeiro mês de 1929, o amor descontrolou--se no peito de Beatriz e ela, que não havia amado Roberto Alessandri e sabia que não podia amar Borges, entregou-se sem remorsos ao primo-irmão. Um mistério, porém, assomou na carta que seguia àquelas escritas em fevereiro, pois não mais parecia obedecer à lógica formal que exige a linguagem quando expressa em signos. Os parágrafos haviam-se tornado tão longos e intrincados e tantas eram as vírgulas, os pontos e os travessões, que os períodos, plenos de sentidos, já não faziam sentido algum.

Beatriz parecia ter escrito aquelas orações incompreensíveis embaralhando todas as outras cartas e, talvez por isso, elas parecessem conter tudo, muito mais do que ela poderia ter escrito. Mas em março, Beatriz Viterbo estava morta. Quem poderia, então, ter escrito as cartas? Carlos Argentino não as escreveria sem legar-lhes o estilo adornado com o mais califa dos rubis. Teriam sido elas escritas por Borges?

A averiguação seguiria débil, não tivesse a porta escura que dava acesso ao porão da sala de jantar chamado a minha atenção. "Os porões desvendam os segredos dos homens", assim abri a porta sabendo que não sairia dali sem ter ciência do fadário de Beatriz. Esperava-me, eu o sabia, uma escada empinada, e desci seus degraus sem delongas. Pus-me então em decúbito dorsal, sabendo que meus joelhos tocariam uma velha almofada; encostei-me no piso de tijolos e fixei os olhos no décimo nono degrau. Ela estava lá, a pequena esfera furta-cor, de brilho quase intolerável; mas o que eu vi nos dois ou três centímetros de diâmetro foi diferente daquilo que Borges havia descrito. O cristal repetia sem cessar as imagens de uma mulher de pele clara e rosto caucasiano, e eu compreendi que era Beatriz Elena Viterbo; Beatriz, despindo-se sob o olhar atônito de Carlos Argentino; Beatriz, nua, desfilando em frente ao espelho; os seios pequenos e alvos de Beatriz; Beatriz na cama, as pernas levemente abertas, a chamar pelo primo-irmão; Beatriz, sorriso aligeirado, apreciando a rusticidade com que Carlos Argentino tentava arrancar suas roupas; Beatriz sendo possuída, olhar cúmplice por sobre os ombros de Daneri fixados à porta, à espera de que Borges entrasse.

Fechei os olhos, espantando a luxúria. Abri-os. Então vi o cristal redondo metamorfosear-se em pequenos pedaços, e cada um deles era novamente Beatriz e Beatriz era o oceano profundo, o deserto cáustico, o crepúsculo melancólico; o inconcebível universo era Beatriz.

E um cicio desprendeu-se do centro do círculo brilhante, dando-me a certeza de que Beatriz Elena Viterbo não havia morrido. A cada circunvolução ele repetia-se, e eu adivinhava um código que não poderia circunscrever-se ao território da palavra, não poderia cingir-se ao domínio da linguagem, mas que tinha um significado tão premente de desvendar-se, que meu cérebro doente passou a girar em movimento idêntico;

e a esfera brilhante tomou o lugar em que se originavam meus pensamentos para, assim, dar-me a conhecer seu segredo:

— Eu sou Beatriz Elena Viterbo. Borges fez de mim o Aleph.

II

Ele começou a corrigir o texto devagar, saboreando as orações, lendo em voz alta para melhor apreender o ritmo e a graça dos períodos. Sua voz causou rebuliço na biblioteca, na terceira prateleira onde se acotovelavam as edições em papel-bíblia da Nova Aguillar e os Clássicos Jackson, encadernados em pano de aniagem com a tarja preta no dorso no qual sobressaíam em letras douradas a obra e o autor. Pareceu-lhe ter ouvido um ranzinzar e viu destacar-se um volume das obras completas de Jorge Luis, que buscou voz no espaço para comentar o que havia escutado, não sem antes elogiar a companhia de Yeats e De Quincey e proclamar o orgulho de ombrear-se com as *Geórgicas* de Virgílio.

Jorge Luis não admitia a hipótese que o pequeno conto levantava, o Aleph não poderia ser Beatriz, sequer Estela Canto, a quem amava; se alguma mulher tivesse de sê-lo, seria Leonor Acevedo. Apesar disso, revelava-se lisonjeado com a história, embora não acreditasse que o vocábulo *literatura* fosse bem representado pelo conto que acabara de ouvir. E o volume das obras completas voltou ao seu lugar na estante, reiterando que o universo borgiano era apenas um dos milhares de círculos concêntricos de que se compunha a literatura. O escritor não concordou; para ele, Borges era a literatura condensada.

Abriu a janela, sentou-se em frente à noite e pôs-se a mirar as estrelas. Pensava que elas se multiplicavam como os livros

— e eram tantas, que parecia ser impossível apreendê-las. E, como eles, algumas eram opacas, outras tinham pouco brilho e havia aquelas que flamejavam muito, mas estavam distantes, como se alguém as tivesse posto longe para que não fossem reconhecidas. A cada dia aparecia uma nova estrela, e não era factível admirar a todas, assim como um novo livro era escrito a cada dia e era impossível lê-los todos.

E ele precisava ler para assim aprisionar os temas que lhe haviam fugido. Estéril de ideias, sonhava com o mote que daria substância à sua literatura, algo novo, simples e prodigioso, que permitisse compor uma história diferente, capaz de arrebatar o público e entusiasmar a crítica. Mas as minas já não possuíam veios, das fontes já não jorrava água, e o nácar se tornara incapaz de transformar-se em pérola.

Dost não olhava para as estrelas, estava mais interessado em quem as olhava. Por que o obsedava o aplauso dos outros homens? Que contentamento poderia vir da ovação de seres no mais das vezes inferiores a ele? Eram quereres estranhos, desprovidos da tão decantada racionalidade humana. A ele não interessavam os cães, já lhes conhecia o proceder, e a ciência não lhe fora agradável. Seria grotesco viver em função do reconhecimento canino, por isso preferia aproximar-se dos homens. E aos homens talvez fosse preferível a companhia dos cães.

De repente, um odor característico invadiu o aposento, e ele deu-se conta de que não simpatizava com o homem, que ao empurrar a porta, pretendia distrair seu dono do ofício de olhar estrelas.

O editor foi direto ao assunto, mostrou-se contente por ver que o acordo estava sendo cumprido, tomou o original e pôs-se a ler. Dost observava o homem com curiosidade, impressionava-o as grossas lentes dos óculos de aro negro e os olhos vivos fixados frequentemente na ponta do nariz afilado, que o fazia arquear as sobrancelhas, compondo uma expressão grave. Os cabelos alvaiadados e um ar erudito compunham um rosto de expressão rebuscada e reflexiva. Desviou o olhar e voltou-se para seu dono, que permanecia entretido com as estrelas. Ambos foram interrompidos:

— Um conto cujo tema é outro conto! Não é lá muito original. Vocês, escritores, são todos iguais, louvam-se a si mesmos.

— E o que você queria, se o vocábulo era literatura? — redarguiu o escritor.

— Você, que tanto fala em Joyce, poderia ter escrito algo novo, original, que rompesse com as estruturas do texto. Um pouco de presunção linguística e algum experimentalismo agradariam aos críticos.

— Não há graça em decalcar Joyce. Aliás, a busca pela originalidade parece-me estéril e tem produzido aleijões literários. A literatura dita pós-moderna me causa tédio, com seus jogos intelectuais pouco autênticos. Já a pureza linguística, a perfeição técnica, produzem apenas solidão, uma solidão vaidosa de quem quer escrever para escritores. De minha parte, creio ser possível fazer literatura simples e séria e ao mesmo tempo entreter o público. "Quem não espera um milhão de leitores não deveria escrever", acho que foi Goethe que disse isso, e eu me apresso em acrescentar: que não seja um milhão, mas pelo menos mil.

— Folgo em vê-lo avalizar o *best-seller*, Stendhal satisfazia-se com apenas cem leitores — rebateu, com ironia.

— Não me interessam os *best-sellers*, mas tampouco creio nos escritores que se vangloriam por ignorar o mercado.

— Alguns estão preocupados apenas com a imortalidade — retrucou novamente, sarcástico.

O escritor pensou em calar-se, mas as palavras rebelaram-se compondo uma frase de efeito:

— Perpetuar-se pela literatura ou por qualquer tipo de arte é um propósito vão — e concluiu, tentando espantar a dramaticidade: — Escrever para si mesmo ou como forma de vencer a morte, tudo isso é pura bazófia. A imortalidade só interessa a quem está vivo, aliás, os mortos estão se lixando para a eternidade.

— A imortalidade para uns, o mercado para outros, são essas as alavancas que movem as mãos dos escritores — pontificou o editor.

— Não creio. Hoje se escreve em nome de tudo, da arte, do social, do prazer, da presunção de que a experiência própria poderia ajudar a outrem. Quanto a mim, escrevo apenas porque não me é possível evitá-lo.

— Mas poderia fazê-lo com um pouco mais de originalidade! A prosa incomum é o elixir da permanência — rebateu, esperando a reação.

— De minha parte, desdenho a originalidade — a resposta veio sem a repulsa esperada, mas ele continuou provocando:

— Preocupa-me um escritor que não deseja ser original.

— Não tenho a pretensão de criar do nada, colho meus frutos na frondosa árvore daquilo que já foi escrito.

O editor submeteu-se a um momentâneo silêncio, mas a reflexão não lhe suavizou o discurso:

— O conto tem personalidade, mas foi decalcado na obra de outro autor.

— E daí? Foi retirado do meu cânone — replicou, com rispidez. — Aliás, eu nada tenho contra a cópia, se nela criatividade houver. A cópia é a estrutura que sustenta o edifício literário; a originalidade, se é que ainda existe alguma, está em mudar-lhe a forma, dar-lhe outro movimento, modificar-lhe a fachada, mas é impossível dinamitar uma fundação que é única e resiste aos milênios. Que seria de Goethe, não fosse Marlowe; de Machado, não fosse Sterne; e de todos nós não fosse Homero?

— Para este vocábulo, prefiro o outro conto, aquele que você me enviou por *e-mail* e inexplicavelmente descartou. Se esses seus escritos forem publicados, haverá lugar para ele.

— Um conto para cada vocábulo, tudo o mais será redundante.

— Veremos, mas vamos seguir com o jogo. Quem sabe sua pena entorte com o próximo tema — redarguiu, com um tom levemente irônico.

Dost não gostou da entonação e mostrou os dentes, em defesa do dono. O editor calou-se e não retrucou ao comentário que se seguiu:

— É dada aos cães a função de restabelecer o silêncio.

Afastou-se devagar, contornando a mesa, mas o trejeito não disfarçou o medo que sentia do animal:

— Não gosto desse cão.

— Pois eu o venero. É um cãocamaleão. Às vezes se parece com Stendhal; outras, com Shakespeare, mas no dia a dia anda sempre com essa cara de Dostoiévski.

— Não gosto desse cão — repetiu solene, as palavras recheadas de aversão.

— Tampouco ele parece gostar de você.

— Não se trata de afinidade — rebateu —, é a expressão dele que me desgosta, esse amontoado de pele disforme não me parece capaz de gerar qualquer sentimento que não medo.

O editor retraiu-se, a carranca do cachorro inibia sua loquacidade. Voltava a ser a criança gulosa que o pai ameaçava mandar ao terceiro círculo do inferno, onde Cérbero, o cão de três faces e unhas imensas, punia os glutões arranhando-os, depilando-os, esquartejando-os. Vinha daí, talvez, o pavor aos cães, aqueles animais ferozes que lhes povoavam as noites com pesadelos em que se via tangido por eles à toca do grande *perro*, que com garras afiadas rasgava cuidadosamente sua pele, arrancando-a devagar. E, ainda hoje, quando a harmonia da repleção lhe aproximava da felicidade, uma inoportuna fisgada na pele lembrava-lhe a degeneração grotesca da gula e da ebriedade criada por Dante.

— Dost não lhe fará mal, apenas não gosta do rumo que o jogo está tomando. Mova a próxima peça e nos deixe em paz.

— Não posso concentrar-me no tabuleiro com esse maldito cachorro a observar-me.

Deitado de lado, com o ventre largo a espalhar-se pelo tapete, Dost resmoneou mais uma vez ao ver o homem dirigir-se à porta.

— Sem vocábulo não há jogo — arriscou o escritor.

— Juventude — gritou sem voltar-se.

* * *

Perdoe-me o leitor a interrupção, mas necessito apresentar-me. Sou o editor desse autor impertinente, não aquele moldado por sua imaginação doxômana, mas o verdadeiro, aquele que vai ler os originais e examinar a possibilidade de publicação e avaliar a perspectiva de mercado da obra. Não sei se o que foi escrito até aqui vai ser impresso, sei apenas que o pacto celebrado previa apenas a elaboração de novelas e contos, não os comentários maldosos e a exacerbação crítica entremeada no texto. É compreensível a birra que muitos escritores sentem pelo editor que aprova ou não a sua obra, e muitas vezes propõe modificações para melhorar a vendagem do livro, o que os aborrece sobremaneira. O problema é que eles estão tão vinculados ao texto que escreveram, que perdem o distanciamento crítico.

Um bom exemplo é o autor deste livro, que produz diálogos ferinos e execra a figura do editor, compondo um personagem que lhe denigre a imagem. Na verdade, ele parece não compreender que o mercado é nosso deus, e foi em nome dele que lhe acenei com a possibilidade de publicar originais urdidos a partir de um jogo criativo, cuja elaboração seria desfechada por um vocábulo por mim indicado. A experiência permitir-lhe-ia discorrer sobre temas essenciais que acompanham o homem na sua existência. No entanto, inocentemente ou no intuito deliberado de aborrecer-me, o autor prefere gastar tinta em uma cantilena de duvidoso fundamento, quando deveria estar mais preocupado com o público a que se dirige o texto. Não desejo interferir na obra e nas preferências do autor, mas apenas ajudá-lo a compor um livro que tenha boa recepção de crítica e público; e para isso, às vezes, algumas modificações se fazem necessárias.

O vocábulo *literatura*, por exemplo, mereceu, não se sabe bem por que, a elaboração de dois contos, um dos quais eleito, sem qualquer influência de minha parte, para dar início à coletânea. Apesar disso, agrada-me o conto descartado pelo autor, por isso, se esse original for publicado, insistirei com ele para que o inclua na coletânea.

Literatura

Para Gey

— O paganismo é a mais natural das religiões. Os deuses pagãos não criam, transformam apenas. A origem do mundo não tem causa atribuída na religião pagã. Daí a superioridade dela. O vago fica vago. O pagão não define o que cria. E a liberdade da especulação é garantida. Que importa o que se pensa da origem do mundo em uma fé que nada informa da origem do mundo. (...) A religião pagã é humana. Os atos dos deuses pagãos são atos dos homens magnificados; são do mesmo gênero, mas em ponto maior, em ponto divino. Os deuses não saem da humanidade rejeitando-a, mas excedendo-a, como os semideuses.

Inflamado, Délio forçava naturalidade nas palavras cadenciadas. Não compreendi sua intenção, mas havia algo de estranho na sua afetação:

— Meu amigo, a citação não cabe em nossa conversa. O texto não é de sua autoria, embora eu não recorde o autor — repliquei, com veemência. — Além do mais, parece-me uma ideia fora de propósito.

— Ora, e que importância tem isso? De que vale saber quem o escreveu pela primeira vez? — inquiriu com impaciência. — As palavras não têm dono, os pensamentos explicitados são de domínio público e podemos repeti-los à exaustão, se expressam o que se passa em nós.

Fez uma pausa, como se estivesse meditando sobre o que ia dizer, e olhando para o vazio, perguntou:

— Você já desejou ser um personagem de literatura? Já se identificou com o protagonista de um romance? Quis ser como ele, falar como ele? Pois eu, sim. Eu sempre quis ser o herói da história que estava lendo. Eu fui Riobaldo e amei Diadorim mesmo vendo nela um homem; eu fui Julien Sorel e ainda tremo ao sentir na pele o toque suave de Madame Rênal; eu desci aos infernos em busca de Beatriz; libertei-me da hipocrisia tornando-me Ema Bovary; e, sem remissão, vendi minha alma a Mefistófeles.

* * *

Conheci Délio na universidade. Era um rapaz tímido, avesso às atividades físicas e aos ambientes ensolarados e vivia trancafiado, lendo. Rato de biblioteca, interessava-se apenas por um tipo de queijo: literatura. Dele, empanturrava-se, e ao seu paladar sabia tanto a prosa quanto a poesia. Solitário e arredio, não via mérito na amizade, desfazia do amor, desviava-se do sexo: apenas os livros lhe interessavam.

Encontrei-o pela primeira vez na biblioteca procurando a tradução portuguesa de *Morte d'Arthur*, de Sir Thomas Mallory. Desmentindo a bibliotecária, afirmou que havia uma tradução resumida publicada pela antiga Editora Globo, na coleção Nobel ou Saraiva. E logo informou que o texto original era raríssimo, apressando-se em dizer que Mallory deixou relatos independentes, com títulos próprios, sobre a "matéria de Bretanha", e que coube a seu primeiro editor, William Caxton, a compilação dessas histórias, tendo por eixo a ascensão e a queda do mítico reino arturiano.

Délio queria ler todos os livros e, comiserativo, afirmava que sua vida não seria longa o bastante para que pudesse ler o que de belo e fascinante havia sido escrito.

— E o pior — aduzia gravemente — é que a cada dia, em algum lugar, alguém poderia estar escrevendo algo cuja leitura será obrigatória.

— "O paganismo é a mais natural das religiões." Quem seria? — indaguei, mirando a biblioteca.

Meus olhos vagaram aleatoriamente por sobre o horizonte de livros e detiveram-se em uma estampa acartonada de cor grená, sobrescrita por letras douradas.

— Fernando Pessoa, é claro!

Ele citou o ensaio de Pessoa sobre o paganismo.

Não me dei o trabalho de folhear a cuidadosa edição em papel-bíblia; cada palavra do poeta português veio à minha mente na voz de Délio, mas ele as havia pronunciado como se fossem suas, e isso soava estranho. Quem venera a arte de escrever jamais se apropria de texto alheio sem dar-lhe o crédito, e em Délio a consciência do próprio saber transformava-se em fatuidade quando ele declamava um verso de Baudelaire ou citava um mote de Oscar Wilde, por isso, aludir ao autor fazia parte da soberba.

Após nosso encontro, recebi a visita de Isadora, sua esposa, e ela foi direta:

— Preciso de sua ajuda.

— O que está acontecendo? — averiguei, preocupado.

— É Délio, não sei o que se passa com ele, nem como começou, mas temo que não esteja bem — respondeu, preocupada.

Contou então que Délio andava estranho, vivia trancado na biblioteca, lendo em voz alta e declamando versos; além disso, conversava como se houvesse um interlocutor, embora estivesse sempre só. Parecia fora de si e aborrecia-se quando era interrompido. E nos lugares mais inesperados, em meio a amigos ou desconhecidos, começava de repente a pronunciar frases soltas ou longos monólogos que nada tinham a ver com a conversação.

Ultimamente, a situação havia se agravado, pois ele cismara que ela o estava traindo. De forma velada, expressava seu ciúme declamando versos e frases sem nexo. Fora de si, gritava e ameaçava matá-la. E, às crises de euforia ciumenta, sucediam-se momentos de depressão, quando aduzia a Deus e ao Diabo expressando solilóquios que ela não compreendia.

Fiquei perplexo. Eu não podia crer que Délio houvesse se tornado tão emocional a ponto de ameaçar alguém de morte. Ele, que considerava o ciúme um sentimento de segunda classe, que se gabava da sua racionalidade e ironizava as emoções, afirmando em voz alta: "o ciúme é a icterícia da alma". Não, havia algo de estranho naquela história.

Resolvi vê-lo, para tirar minhas próprias conclusões. Surpreendi-o absorto na biblioteca de sua casa, sentado numa poltrona, mirando o vazio. À sua volta a desarrumação era geral, livros espalhados, papéis no chão, um ambiente inteiramente despropositado para alguém tão metódico. Ele percebeu minha chegada, e satisfeito, disse com uma voz pouco característica:

— É bom ver você. Tenho sentido sua falta.

Conversamos longamente. E nada me faria crer que houvesse qualquer anormalidade com ele, tal foi a serenidade com que falamos dos mais diversos assuntos. Vi certo exagero nas preocupações de Isadora e contei-lhe a nossa conversa, dizendo não poder acreditar que ele estivesse tendo crises de ciúmes. Délio reagiu com uma expressão esquisita, e mantendo a calma, encarou-me, embora parecesse não ver mais ninguém. Solene, disse, sobranceiro:

— *Meu senhor, cuidado com o ciúme! É o monstro de olhos verdes, o qual zomba da carne de que se alimenta. Aquele corno que, certo de sua sorte, não ama a quem o ofende, vive bem feliz; mas que infernais minutos conta aquele que adora, mas duvida; que suspeita, embora ame com ardor!*

Surpreso, mal pude articular as palavras:

— Que bobagem é essa, Délio? A pompa e a circunstância não cabem em nossa corte. Por que isso?

— Por que? Por que isso? — retrucou de súbito, colérico. — *Pensas que levarei a vida enciumado para, sempre seguindo mutações da lua, acompanhá-las com suspeitas renovadas? Não, duvidar por uma vez é estar convencido de vez. Troca-me por um bode quando eu trocar a ocupação de meu espírito por tão abomináveis e odiosas suspeitas como as que descreves num ciumento. Não basta acentuar, para me pôr ciumento, que minha esposa é bela, acolhe bem à mesa, adora companhia, é franca na palavra, e canta, e toca, e dança. Onde a virtude existe, essas coisas lhe dão mais excelência. Não tirarei de meus méritos fracos o mínimo temor de que ela seja infiel, pois que tem olhos, e escolheu-me. Não, Iago. Antes de duvidar, verei; se eu duvidar, necessito de prova; e, feita a prova, não resta mais do que isto: fora de uma vez ou bem com o amor ou bem então com o ciúme!*

Por um momento, pensei que ele caçoava de mim:

— Ora, Délio, falta-lhe a grandeza de Otelo e o malefício de Iago. É hora de retomar o bom senso.

— Senso? — articulou, como se procurasse entender.

— *Que senso tinha eu das horas de luxúria que ela me roubava? Não via isso, nem pensava, nem sofria; dormia a noite bem, estava alegre e livre; nos lábios dela não achei beijos de Cássio. O que é roubado, sem notar o que lhe tiram, que não o saiba, então não é roubado. (...) Feliz eu ficaria caso o campo inteiro, sapadores e os mais, tivessem desfrutado seu doce corpo, desde que eu nada soubesse.*

Pronunciou estas palavras com amargura e calou-se, ensimesmado. Tentei restabelecer a conversa, mas foi inútil; ele olhava impassivelmente para um ponto fixo, como se não houvesse mais ninguém no aposento. Isadora observava tudo, a expressão preocupada, a perplexão aniquilada pela repetição da cena. Despedi-me, com a promessa de voltar a vê-lo.

Na rua, o vento frio estimulou a reflexão. Era óbvio que meu amigo não estava bem. A exaltação shakespeariana e o brusco ensimesmar coadunavam com sua personalidade, mas careciam de autenticidade. O ciúme parecia uma encenação, apenas um pretexto para que ele pudesse declamar seus versos. Pobre de autenticidade, o conteúdo era apenas arte. Voltei a vê-lo no dia seguinte. Ele continuava na biblioteca, impassível, alheio de interesses. Puxei conversa:

— Como está? Vim buscá-lo para sairmos um pouco.

— Não posso — respondeu de imediato. — Cuido de descobrir algo. Preocupa-me a existência dele.

— Délio, você continua procurando água em um poço vazio. Não deve preocupar-se com quem não existe. Isadora seria incapaz de traí-lo. Quem lhe trai é a sua mente, e nela não devia caber essas ridículas cenas de ciúmes — objetei, já antevendo uma nova encenação.

— Ciúmes? Ah o ciúme! "*La sombre Jalousie, au teint pâle et livide, / Suit d'un pied chancelant le Soupçon qui la guide.*"[1] Mas, na verdade, isso já não me importa.

— Não posso imaginá-lo como um ciumento — insisti pausadamente —, o ciúme não cola na razão. É um sofrimento que se apropria da racionalidade e, enquanto vivo, não cessa.

— *Não, engano seu. O sofrimento no amor cessa por instantes, mas para recomeçar de modo diferente. Choramos quando a mulher que amamos não tem mais conosco aqueles ímpetos de simpatia, aquelas iniciativas amorosas do início, sofremos mais ainda ao ver que, não os tendo mais conosco, os tenha com outros; depois somos distraídos deste sofrimento por novo mal mais atroz, a suspeita de que nos mentiu sobre a noite da véspera, em que sem dúvida nos traiu; esta suspeita também se dissipa, tranquiliza-nos a bondade com que nos trata a nossa amiga, mas eis que*

[1] O sombrio Ciúme, de tez pálida e lívida, Segue com pé oscilante a Suspeita que o guia.
A Henríada, IX, Voltaire.

nos volta à mente uma frase esquecida; disseram-nos que ela era ardente, ora sempre a conhecemos calma; tentamos imaginar o que foram os seus frenesis com outros, notamos-lhe um ar de tédio, de nostalgia, de tristeza; quando falamos, notamos como um céu negro os vestidos quaisquer que põe quando está conosco, guardando para os outros aqueles com que a princípio nos lisonjeava. Se ao contrário, está carinhosa, que alegria por um instante; mas vendo-lhe a linguinha de fora como para um chamado, pensamos naquelas a que tantas vezes era dirigido esse chamado, o qual talvez até junto de mim, sem que Isadora pensasse nelas, houvesse persistido, em virtude de um hábito demasiado antigo, um sinal maquinal. Daí a pouco o sentimento de que a enfadamos volta. Mas de súbito esse sofrimento se reduz a bem pouco, ao pensarmos nos desregramentos ignorados de sua vida, nos lugares impossíveis de conhecer onde ela esteve, onde vai ainda, nas horas que não estamos com ela, se mesmo ela não projeta viver definitivamente nesses lugares onde está longe de nós, não é nossa, se sente mais feliz do que conosco. Tais são as vicissitudes do ciúme.

— É Proust, meu amigo. Nós o lemos juntos, muitas vezes. Sei que é capaz de citá-lo de cor, mas é hora de acabar com isso.

Ele não respondeu de imediato, ficou pensativo por um momento; e pensativo, comentou:

— Sabe, hoje creio haver beleza no ciúme, mas este assunto já não me interessa. Preocupa-me a existência de Deus.

Levantou-se de repente, e olhando para mim, disse com entusiasmo:

— *Sabes, meu caro, que havia um velho pecador no século XVIII que disse:* "Si Dieu n'existait pas, il foudrait l'inventer".[2] *E, com efeito, foi o homem quem inventou Deus. E o que é espantoso, não é que Deus exista realmente, mas que essa ideia*

[2] Se Deus não existisse, seria preciso inventá-lo. Voltaire, Epístolas, 95.

da necessidade de Deus tenha vindo ao espírito de um animal feroz e mau como o homem, tão santa, comovente e sábia é ela, tanta honra faz ao homem.

— Mas que diabo! — exclamei sem esconder a irritação. — A mesma palhaçada com outro tema.

— Diabo? Tenho pensado nele também — continuou com ar misterioso.

— *Penso que se o Diabo não existe e foi, por conseguinte, criado pelo homem, este deve tê-lo feito à sua imagem. E eles, os homens, estão dispostos a destruir tudo.*

— A propósito de que vem tudo isso, Délio? Dostoiévski fascina-me, mas não nesse contexto e, lembre-se, às vezes, querendo entender o desejo de destruir, destruímo-nos.

— *Na minha opinião não é preciso destruir nada* — continuou como se minhas palavras fossem ditas apenas para se encadear nas dele — *a não ser a ideia de Deus no espírito do homem: eis por onde é preciso começar. Oh! Os cegos, não compreendem nada! Uma vez que a humanidade inteira professe o ateísmo (e creio que essa época, à maneira das épocas geológicas, chegará a seu tempo), então, por si mesma, sem antropofagia, a antiga concepção do mundo desaparecerá, e sobretudo a antiga moral. Os homens se unirão para retirar da vida todos os gozos possíveis, mas neste mundo somente. O espírito humano se elevará até um orgulho titânico, e isto será a humanidade deificada. Triunfando sem cessar e sem limites da natureza pela ciência e pela energia, o homem por isso mesmo experimentará constantemente uma alegria tão intensa que ela substituirá para ele as esperanças das alegrias celestes. Cada qual saberá que é mortal, sem esperança de ressurreição, e resignar-se-á à morte com uma altivez tranquila, como um deus. Por altivez, abster-se-á de murmurar contra a brevidade da vida e amará seus irmãos de uma maneira desinteressada. O amor só procurará gozos breves, mas o próprio sentimento de sua brevidade reforçar-lhe-á a intensidade tanto quanto outrora ela se disseminava nas esperanças de um amor eterno, além-tumular...* e assim por diante. É encantador!

Por um momento pensei em tapar os ouvidos, como queria fazer o próprio Ivan Karamazov, mas ele prosseguiu:

— *A questão consiste nisto: será possível que essa época chegue algum dia? Na afirmativa, tudo está decidido, a humanidade se organizará definitivamente. Mas como, diante da estupidez inveterada da espécie humana, não se venha isso a realizar talvez nem dentro de mil anos, é permitido a todo indivíduo que tenha consciência da verdade regularizar sua vida como bem entender, de acordo com os novos princípios. Neste sentido, tudo lhe é permitido. Mais ainda: mesmo se essa época nunca deva chegar, como Deus e a imortalidade não existem, é permitido ao homem novo tornar-se um homem-deus, seja ele o único no mundo a viver assim. Poderia doravante, de coração leve, libertar-se das regras de moral tradicional, às quais estava o homem sujeito como um escravo. Para Deus, não existe lei. Em toda parte onde Deus se encontra, está em seu lugar! Em toda parte em que me encontrar, será o primeiro lugar... tudo é permitido, um ponto, é tudo!...* — deu uma gargalhada e concluiu: — sem Deus tudo seria permitido!

Eu não disse mais nada. Assisti à peroração com espanto, afinal era impressionante sua capacidade de decorar passagens inteiras de livros maravilhosos e as pronunciar como se tivessem saído de sua mente. Mas, ao mesmo tempo, era triste perceber que sua mente embaralhava as coisas e parecia assimilar como suas as emoções e ideias que ele havia lido nos livros.

Disse a Isadora que ele necessitava de tratamento psicológico e que umas férias em local especializado lhe fariam bem. Para nossa surpresa, Délio aceitou a proposta sem protestar. Ao seu retorno, fui visitá-lo. Estava bem, embora preservasse a expressão ausente.

— Então, como se sente agora? Parece-me que as férias lhe fizeram bem.

— É, estou bem. Aliás, sempre estive bem. Estava apenas um pouco confuso, nada mais.

Havia serenidade e resignação em sua voz. Procurei animá-lo:

— Agora tudo passou. Quero vê-lo de novo produzindo. Quando começa a escrever?

— Não vou mais escrever, nunca mais — levantou-se, andou pelo aposento, e voltou a falar de maneira compassada. — Lembra-se daquela constatação de Spandrell, em *Contraponto*, de Huxley?: "tudo que acontece é intrinsecamente semelhante ao homem a quem acontece". Pois bem, o que aconteceu comigo foi semelhante a mim. Eu deformei os acontecimentos à minha imagem, e não falo apenas dos acontecimentos recentes, mas de todos os "meus acontecimentos", inclusive a obsessão pelos livros e pelo grande romance que um dia eu escreveria.

— E ainda vai escrevê-lo — interrompi, tentando mais uma vez animá-lo.

— Não mais — retrucou, incontinente. — E isso pouco importa agora. O que estou querendo dizer é que as coisas não aconteceram em minha vida de maneira acidental. Não comecei a ler como você e os demais, atraídos pela curiosidade ou em busca de aprender mais. Dediquei-me à literatura deliberadamente, sabendo que jamais poderia enfrentar a vida e a praticidade dela. Deliberadamente, deformei os acontecimentos de modo a refugiar-me na literatura e a fugir da vida. A existência amedrontava-me, e quando fui capaz de discernir, induzi o desfecho, mas havia algo que eu não podia prever. Dediquei-me à literatura porque não sabia lidar com os conflitos, tinha pavor à violência e ao sofrimento e medo das pessoas. Não me adaptava à vida, sentia-me incapaz de enfrentá-la e compreendê-la. Na literatura, não, eu era livre, todas as emoções do mundo desfilavam em minha mente sem que fosse preciso expor-me a elas. A cada livro, descobria uma visão diferente da existência e nutria a certeza de que, quando me fosse dado ler tudo, tudo me seria revelado. Mas, aos poucos, fui compreendendo que os livros trazem mais dúvidas do que certezas. Essa constatação deu início ao meu desespero, comecei a perceber que os mistérios da vida ainda estavam por ser desvendados. A literatura o mais que fazia era atiçar o fogo e aumentar a chama da imprecisão. A compreensão do homem, a existência de Deus, o mistério do amor, a violência e a paixão humana, enfim, tudo aquilo que me afugentou da vida e que eu pensava desvendar nos livros, não estava em livro algum. Percebi que não adiantava ler ou escrever mais nada, tudo havia sido escrito e nada fora revelado.

— Délio, meu amigo, seu raciocínio é circular — repliquei, tentando pôr ordem nas ideias. — Se continuar com tal mote, nada mais importará, pois não há respostas.

— E nada mais importa — assentiu. — Por muito tempo acreditei na capacidade racional do ser humano; o predomínio da razão seria o objetivo a ser alcançado; e no momento em que o homem atingisse esse estágio, tudo lhe seria revelado, mas para isso seria fundamental extirpar a emoção que embota as faculdades mentais. Perceba que essa busca se encaixava perfeitamente em um homem como eu, que temia o lado emocional do ser, que é incontrolável e, por isso mesmo, ambivalente, criador e destruidor. Gradualmente, descobri que o congelamento da emoção era apenas mais uma das minhas fugas e destruí, ao mesmo tempo, meus dois mitos: o de que a literatura e a ciência desvendariam o mundo, e a ideia do homem unicamente racional. Daí para a conclusão foi um passo: se tudo é assim, se não há respostas, só restam dois caminhos a seguir: a morte ou a explosão violenta da vida, não a vida teórica, mas o ininterrupto carrossel sensual que gira sem parar.

— Penso que você ainda divaga e mistura coisas. Por que, necessariamente, um ou outro? Por que completamente racional ou completamente sensual?

— Completamente não, porque é impossível. Um homem não pode abolir complemente suas sensações e seus sentimentos, a menos

que se mate fisicamente. Mas ele pode depreciá-los. E, de fato é isso o que faz um grande número de pessoas inteligentes e cultivadas depreciar o humano, no interesse do inumano. Seu motivo é diferente do dos cristãos: mas o resultado é o mesmo. É uma espécie de autodestruição. É sempre a mesma coisa, a cada tentativa que se faz de ser algo melhor do que um homem, o resultado é sempre o mesmo. A morte, uma forma ou outra de morte. Tentamos ser mais do que somos por natureza e matamos qualquer coisa em nós e nos tornamos muito menos do que éramos. Estou cansado de todas essas asneiras sobre a vida superior e progresso moral e intelectual, estou cansado da existência pelo ideal e do mais que segue. Tudo isso leva à morte. Com a mesma certeza com que viver para o dinheiro leva à morte. Os cristãos e os moralistas, e os estetas cultivados, e os jovens e brilhantes homens da ciência, e os homens de negócio à Samuel Smiles — todas essas pobres rãzinhas humanas que tentam inflar-se para se transformarem em bois de pura espiritualidade, de puro idealismo, de pura eficiência prática, de pura inteligência consciente, acabam simplesmente estourando e ficando reduzidas a coisa nenhuma a não ser fragmentos de rã — e fragmentos putrefatos ainda por cima. Tudo isso junto é uma vasta estupidez, uma mentira imensa e repugnante. O teu pequeno São Francisco, esse fedorento, por exemplo. Sim, um fedorento. Um homenzinho bobo e vaidoso, que tenta encher-se de vento até se tornar Jesus, e que consegue apenas matar o pouco de bom senso ou de decência que existia nele, que consegue apenas transformar-me em fragmentos repugnantes e malcheirosos dum verdadeiro ser humano. Um homem que andava a colecionar sensações e a se excitar, lambendo os leprosos! Ui! Que sujeitinho pervertido e repugnante! E se julga bom demais para dar um beijo numa mulher; quer estar acima de todas as coisas vulgares, como o prazer natural e saudável — e o único resultado é que ele mata o menor grão de virtude humana que podia ter em si, e se torna um pervertidozinho fedorento que não pode mais excitar-se senão lambendo as úlceras dos leprosos. Não curando os leprosos, note bem. Mas simplesmente lambendo-os. Por prazer próprio, não pelo dos leprosos. É revoltante!

— Está bem! — retruquei, elevando a voz. — Sua arenga destruiu de um só golpe a beleza da humildade cristã e a convivência entre a razão e a emoção. Caminha célere para o niilismo, não é tão original assim!

— Nada é original. A minha fala anterior não foi produzida na minha mente. Eu apenas a decorei e você sabe que sou capaz disso. É novamente Huxley que falou por minha boca. E não pense que tive uma recaída; na verdade, eu nunca estive doente, apenas embaralhei as ideias ao perceber que não existem alternativas. Mas perceba que você não diferenciou de imediato as minhas palavras das dele, e sabe por quê? Porque nada há de novo, nada foi desvendado e creio que nunca será. Reitero: se a racionalidade e a ciência não lhe mostram o caminho, se a religião é uma farsa e a literatura uma ilusão, só resta na encruzilhada duas direções: a morte ou a completa imersão na vida e no que há de vulgar e excitante nela.

— Ora, Délio, a existência não se presta a maniqueísmos, encontre na vida um prazer, apenas um, e será possível suportá-la.

— Eu sei. Uns encontram prazer na sensualidade; outros, no poder; alguns, na violência; São Francisco, na humilhação e na flagelação, e por aí vai. Mas comigo se passa algo diferente. Durante toda a minha existência inadaptei-me à vida, fugi dela por completa inadequação ao real; como, então, imergir no que abomino? A mim, só resta a primeira alternativa, a morte; e aí reside minha condenação, pois tenho aversão à violência e sinto-me impedido de pô-la em prática.

Délio fez uma pausa, como se avaliasse o que estava por dizer, e arrematou:

— O medo da morte. Eis o que persegue o homem, eis o que me persegue, embora eu anseie por ela.

Cansado, pude apenas comentar:

— A morte nos aguarda a todos.

Ele continuou, mais exaltado:

— *Na verdade, não há morte. O encontro de duas expansões, ou a expansão de duas formas, pode determinar a supressão de uma delas; mas, rigorosamente, não há morte, há vida, porque a supressão de uma é a condição da sobrevivência da outra, e a destruição não atinge o princípio universal e comum. Daí o caráter conservador e benéfico da guerra. Supõe tu um campo de batatas e duas tribos famintas. As batatas apenas chegam para alimentar uma das tribos, que assim adquire forças para transpor a montanha e ir à outra vertente, onde há batatas em abundância; mas, se as duas tribos dividirem em paz as batatas do campo, não chegam a nutrir-se suficientemente e morrem de inanição. A paz, nesse caso, é a destruição; a guerra é a conservação. Uma das tribos extermina a outra e recolhe os despojos. Daí a alegria da vitória, os hinos, aclamações, recompensas públicas e todos os demais efeitos das ações bélicas. Se a guerra não fosse isso, tais demonstrações não chegariam a dar-se, pelo motivo real de que o homem só comemora e ama o que lhe é aprazível ou vantajoso, e pelo motivo racional de que nenhuma pessoa canoniza uma ação que virtualmente a destrói.*

— Ao vencedor, as batatas! Mas a morte ainda se faz presente — repliquei, sem entusiasmo.

— A morte — retomou, novamente reflexivo —, a dona de tudo. Faz algum tempo que penso nela. Penso em suicidar-me, mas não sabia se poderia fazê-lo. Isadora? Como deixá-la só, como desaparecer sem ela? Mas, felizmente, eu encontrei o caminho, ao menos dessa vez, a literatura deu-me a resposta.

— Meu amigo, vejo que o descanso não lhe ajudou — disse, sem esconder minha preocupação. — Espero que sua cabeça não esteja maquinando alguma bobagem, talvez fosse bom retomar o tratamento.

— Chega de psicologismo barato! — retrucou, com agressividade. — Nunca houve em minha mente qualquer sintoma patológico, apenas experimentei e fiquei confuso com a experimentação. Lembra-se das citações sobre o ciúme e sobre Deus? Nada havia de loucura ali, o meu consciente estava presente todo o tempo, aquilo era apenas uma tentativa de expressar, como se fossem minhas, todas as verdades que encontrei nos livros. Aquelas palavras foram retiradas do meu cânone; ao apropriar-me delas, buscava compreender melhor a vida. O ciúme foi um mergulho no mundo emocional, quis verificar se meu ser poderia agir consoante às leis da emoção e inventei uma traição para sensibilizar minha mente e sentir a humilhação de ser preterido. Tentei buscar no fundo da alma alguma reação violenta que demonstrasse a sensibilidade de viver no mundo real, foi apenas isso.

— Encontrou as respostas?

— Sim. Está em Huxley, tudo que acontece é intrinsecamente semelhante ao homem a quem acontece. Nada pode ser desvendado, e o mundo das sensações me é inadequado. Eu sou um personagem de literatura, não tenho o que dizer, falo apenas por intermédio dos meus protagonistas prediletos. Falta-me originalidade na escrita e emoção na vida. Por isso, minha existência só terá sentido se puder viver e morrer de acordo com uma trama.

Não dei seguimento à conversa. Diferente das outras vezes, ele estava lúcido e consciente, parecia resignado e expressava desprendimento e entrega, o que aumentou meus temores. Expus a Isadora minha apreensão, e para minha surpresa ela não se mostrou preocupada:

— Sossegue, agora ele está bem — disse, tentando acalmar-me. — Sabe, temos conversado muito sobre nós dois e nossas expectativas. Délio está lúcido e compreende bem o que se passou com ele. Eu acho que tudo isso foi bom para nós, aproximou-nos. Lembra-se das cenas de ciúmes? Ele me disse que no início apenas brincava com as palavras, mas com o tempo passou realmente a sentir ciúmes de mim e gostou. Disse que às vezes desejava que existisse outro homem apenas para lhe aguçar o sentimento. Délio sempre foi um homem frio, que desprezava as emoções, mas o ciúme que ele cultivou tornou-o amoroso, passou a preocupar-se comigo, interessou-se pelos meus desejos, viveu minha vida. Agora estamos mais próximos, prontos para seguirmos juntos. Vá sem medo, tudo ficará bem, encontramos um caminho e vamos seguir por ele.

A ponderação de Isadora não me tranquilizou, e fui procurá-los ao entardecer do dia seguinte. A noite já se insinuava, e a casa fechada e escura pôs a tragédia em minha mente. Toquei a campainha e não obtive resposta, forcei a porta até destravá-la e corri ao quarto do casal: eles estavam lá, de mãos dadas, estirados na cama, com uma expressão serena nos rostos. Trêmulo, olhei em volta, um bilhete em cima da cômoda anotava:

Antes de matá-la eu a beijei. Só me restava eu me matar para morrer num beijo.

Bibliografia

ASSIS, Machado de. *Quincas Borba*. Rio de Janeiro, Editora Nova Aguillar, 1998.

DOSTOIÉVSKI, M. Fiodor. *Os Irmãos Karamazov*, Tradução de Oscar Mendes e Natália Nunes. Rio de Janeiro. Companhia José Aguillar Editora, 1975.

HUXLEY, Aldous. *Contraponto*. Tradução de Erico Veríssimo e Leonel Vallandro. Porto Alegre Editora Globo, 1987.

PESSOA, Fernando. *Obras em Prosa*. Rio de Janeiro. Editora Nova Aguilar,1976.

PROUST, Marcel. *Em Busca do Tempo Perdido, A Prisioneira*. Tradução de Manuel Bandeira e Lourdes Alencar. Porto Alegre, Editora Globo, 1983.

SHAKESPEARE, William. *Otelo*. Tradução de Péricles Eugênio da Silva Ramos. Círculo do Livro. Rio de Janeiro, sd.

III

Perdoe-me o leitor, se volto a incomodá-lo; mas, editor que sou, devo-lhe algumas explicações. Após várias sessões de convencimento, o autor aceitou ver selecionados dois contos para o vocábulo *literatura*. Mais trabalhoso e inútil foi convencê-lo a retirar do texto a esdrúxula bibliografia que ele insistiu em manter, esquecido de que um par de aspas define o caráter autoral da obra. Compreendo, todavia, as idiossincrasias que acompanham a criação e admito, às vezes a contragosto, que o autor é o deus de sua criação. Além disso, o jogo recém-começou e, ainda que nosso escritor teime em escrever sobre o que já foi escrito, os próximos textos podem nos reservar uma grata surpresa.

Dou-lhe, portanto, já que ele almeja o reconhecimento, a *juventude* como tema, conectando sua pena ao sexo e à violência, insumos indispensáveis para a elaboração de histórias que atraem o grande público, e abro um atalho para o misticismo e a autoajuda que são infalíveis quando se trata de grandes tiragens. Detesto o *best-seller*, mas não vivo sem ele, esta é a grande máxima. Temo, porém, que um autor que gasta o tempo a acariciar *perros* enrugados e a invocar demônios não tenha muito que dizer sobre a juventude. Mas vejamos o que ele é capaz de fazer com ela.

Juventude

O artefato estava ali e parecia sibilar, chamando os meninos. A cismar, eles não avançaram imediatamente. A curiosidade foi incapaz de impor-se; subjacente ao desejo havia um imperativo de cautela. De repente, veio a exclamação sem que se lhe pudesse identificar a origem:

— É uma bomba!

Todos recuaram instintivamente. Achegaram-se todos. De longe, parecia um tubo antigo de lança-perfume, mas muitos queriam reconhecer uma granada de mão. Miro aproximou-se e tocou de leve o cilindro; Mirella, já com os olhos vermelhos, fez um sinal de reprovação. Arrebatado, ele ergueu o troféu, mostrando-o a todos. E puseram-se a chorar.

As paredes seculares apresentavam sinais de perfuração em vários locais, e os pequenos canivetes sucediam-se na tarefa de escavar o reboco em busca do maior projétil. A identificação das balas e cartuchos espalhados pelo chão do pátio externo distraía a amargura dos meninos. Eram cápsulas douradas, ocas, algumas ainda encimadas por tarugos de chumbo.

O mosteiro havia sido metralhado, e as aulas só não foram suspensas por causa da obstinação do abade. Mas todos tinham medo.

* * *

O conflito entre estudantes e policiais ampliava-se a cada dia. A agitação política era crescente, e as passeatas multiplicavam-se. O ginásio funcionava acoplado ao mosteiro e já não parecia o mesmo. Padres e professores andavam tensos, cochichando na clausura, as fisionomias preocupadas. Os alunos percebiam tudo, embora forjassem uma alienação que lhes permitia maior desenvoltura no escutar das conversas e nas expedições pelo convento. Os padres, crendo no alheamento, não mediam palavras, externando o espanto com o que se passava e o medo das consequências. Não havia consenso entre eles; alguns, não escondiam a revolta contra os militares que baniram a lei e apoiavam abertamente a rebeldia dos estudantes e o engajamento na luta contra o arbítrio; outros, mais moderados, acreditavam que era possível adotar uma postura conciliatória e que o mosteiro deveria confinar sua ação apenas ao consolo espiritual e ao estímulo à oração, de modo a unir, por meio do amor a Deus, as partes em conflito.

Havia também aqueles que apoiavam abertamente a repressão às manifestações e abominavam a participação da Igreja nos eventos, mesmo sabendo-a fruto das circunstâncias. Os alunos acompanhavam tudo e tomavam partido, como se participassem de um jogo perigoso e emocionante. Mas até então a tomada de posição não se fizera necessária; o mosteiro permanecia neutro e, do alto da autoridade que a divindade estabelecia, a postura dos beneditinos era a dos apaziguadores empenhados em dirimir os conflitos. Logo, tornou-se evidente que a neutralidade era impossível naqueles tempos.

Quando o confronto se agravou, a polícia escolheu as imediações do Largo de São Bento como ponto ideal para dissolver as passeatas que invariavelmente passavam por ali em direção à rua Chile. As manifestações começavam nos arredores do Campo Grande e da Praça da Piedade, e os estudantes reuniam-se em locais estratégicos para depois seguir em marcha em direção à Praça Castro Alves, passando necessariamente pelo mosteiro dos beneditinos. Então, gradualmente, o som distante tornava-se compacto e uníssono e invadia tudo, como um batuque desarticulado, no qual a harmonia se distinguia apenas no vago e crescente rumor dos passos. A aproximação tornava o rumor mais nítido, e os gritos e imprecações explodiam num burburinho de vozes desencontradas e divisas recorrentes.

No mosteiro, percebia-se a marcha acercando-se, a onda sonora compactando-se em hinos e palavras de ordem, os lemas teimando em amalgamar-se no refrão "abaixo a ditadura!". À medida que a marcha avançava, era impossível manter as aulas; padres e alunos corriam aos pórticos e janelas para acompanhar o desenrolar da manifestação.

Ao aproximar-se do mosteiro, o barulho diminuía e um silêncio amedrontador impunha-se. Os estudantes paravam, e não era necessário ter olhos para saber que postado diante da multidão estava um pelotão de choque, com cavalos treinados e policiais munidos de escudos e longos cassetetes de madeira. O silêncio era a premonição da violência, mas nem por isso soava como covardia; ao contrário, homenageava o momento em que os adversários se encaram, como num duelo, no fugidio instante em que, as mãos pairando sobre o cabo dos revólveres, pares de olhos se encontram sabendo que talvez jamais voltem a se olhar.

A multidão estanca, conhece o desfecho do embate, e o silêncio é quebrado pela pesada carga de cavalaria que a dissolve. Os estudantes correm desarvoradamente, fugindo das patas dos cavalos e do brandir dos cassetetes; os gritos de dor confundem-se com o som rascante e surdo da madeira chocando-se nos corpos jovens. Apesar do alvoroço, as palavras repetem continuamente o refrão provocador: "abaixo a ditadura!" — e parecem endiabrar os policiais, que redobram a carga. A violência obriga os estudantes a buscarem abrigo e, em frente a cada jovem perseguido, aparece, imponente, a construção beneditina, como se posta ali por Deus para livrá-los dos cassetetes da ditadura.

Quando, no primeiro embate, percebeu que os estudantes usavam o mosteiro como resguardo, o abade não hesitou em mandar fechar as portas da igreja e do ginásio, cônscio de que devia manter a postura de neutralidade. Mas logo percebeu que a violência explícita daqueles tempos transformava a abstenção em covardia. E as portas se abriram.

Fugindo da polícia, os estudantes pulavam os muros, escondiam-se nos jardins e no claustro, ocultavam-se na sacristia, ansiosos para evadirem-se da violência imediata ou do horror postergado. Alguns, escapavam com leves escoriações; outros, urrando de dor, mas o terror que se estampava nos rostos daqueles jovens, ante a perspectiva de serem levados aos quartéis da repressão, era o que mais impressionava os padres. Como resistir a um pedido desesperado de ajuda, vindo dos filhos daqueles que assistiam à missa aos domingos? E muitos dos perseguidos não haviam estudado no ginásio, não ouviram os sermões que pregavam o estado de direito e o respeito às leis? E os pais daqueles jovens não lhes segredavam os pecados e recebiam a comunhão? Como, então, aceitar passivamente a violência contra seus filhos? E foi assim que o abade deixou de lado as ponderações da burocracia eclesiástica. "A coragem cresce com a ocasião" e, quando a violência e o arbítrio atingiram seu rebanho, o abade ordenou que os padres abrissem as portas do mosteiro e dessem abrigo aos que lutavam contra a tirania.

* * *

Miro e Fernando assistiam tudo do alto num dos pórticos da fachada secular; Mirella, assustada, não se atreveu a transpô-lo, e só raramente arriscava um olhar para baixo. Ela sabia que era uma posição perigosa, os padres haviam prevenido os alunos que, se houvesse passeata, eles deveriam ficar protegidos em suas salas. Nos andares mais altos sempre havia a possibilidade de serem atingidos por uma bala perdida ou uma bomba de gás. Os alunos obedeciam sem reclamar, mas Miro tinha outros planos.

Quando a manifestação teve início, esgueirou-se pelas escadas, e aproveitando-se do rebuliço entre os padres, alcançou o pórtico ovalado que dava para a sala dos sinos. Dali avistava a grande mangueira que sombreava a ala norte do convento e dava para a Avenida Sete, onde irrompiam os grupos de estudantes para formar as passeatas. Ele sabia que era um dia especial, pois o abade afirmara que daria guarida aos estudantes agredidos. Mirella preferiu não entrar; amedrontada, insistia com Miro para que ele saísse dali; Nando também relutou, mas o entusiasmo do amigo o contagiou e os dois assistiam à passeata do alto do mosteiro.

* * *

Os padres entreabriam as pesadas portas, dando fuga aos estudantes encurralados; e os líderes do movimento, perseguidos encarniçadamente, vislumbravam a salvação atrás dos muros centenários. Um jovem de cabelos encaracolados viu-se encurralado por três policiais, o desespero tornou-lhe trêmulas as pernas, o medo fez-lhe o suor empapar, até que viu a porta quase camuflada entreabrir-se. Não precisou fechá-la, o frade, de batina marrom e expressão viva, apressou-se em passar-lhe a tranca e o claustro, luminoso e cercado de arcarias, fez-lhe crer no paraíso que ele desacreditava.

Os guardas reagiram, espancando a porta com violência, dispostos a revidar a traição em quem se ocultava atrás dela, mas tratava-se de uma das inúmeras entradas do mosteiro, e a indecisão os fez hesitar. Não sabiam se era permitido invadir a casa de Deus. E não era, mas tornava-se imperativo buscar explicações com os responsáveis pelo mosteiro, que não deveriam compactuar com a irresponsabilidade deste ou daquele padre simpatizante. A arruaça continuava, quando o comandante do destacamento apresentou-se ao abade pedindo satisfações, e ameaçou entrar com a tropa em busca dos líderes do movimento.

A insolência do oficial não intimidou o abade franzino que, com a voz pausada e a entonação peremptória, afirmou que nenhum policial entraria no templo do Senhor. Os guardas, armados de metralhadoras e cassetetes, não entenderam a hesitação do comandante diante daquele frade pequeno, de faces encovadas e olhar lânguido; parecia-lhes que um grito ou um empurrão seria suficiente para amedrontá-lo, permitindo-lhes a entrada. Logo perceberam que não era assim. A expressão calma e a voz rouca que lhes barrava a passagem vinham escoltadas por uma força incompreensível, um domínio genuíno, fundado na crença e legitimado na razão, afiançado na história e na tradição.

O comandante vacilou. Dividido entre os ditames da sua impetuosidade e a consciência do ato temerário e cheio de consequências que iria praticar, preferiu recuar. O abade percebeu a hesitação e encerrou a entrevista, ordenando que as portas se fechassem.

Mas o rancor e a impotência foram inculcados nos policiais, e não ficariam sem revide. A patrulha deu meia-volta, mas avançou célere sobre a multidão. Os estudantes, munidos de pedras e pedaços de madeira, ensaiaram uma reação estouvada; e, desnorteados, avançaram sobre o batalhão de choque. A patrulha reagiu acuando os manifestantes, enquanto uma carga de cavalaria os dispersava por trás. Findo o embate, os jovens feridos foram socorridos por seus pares, enquanto outros formavam pequenos grupos de fuga. Os prisioneiros, empurrados violentamente para os caminhões da tropa, seriam levados aos quartéis da repressão. O destacamento retirava-se, quando o jovem de cabelos encaracolados asilado no mosteiro, como que vingando-se do arbítrio, apareceu num dos pórticos e gritou com ódio:

— Abaixo a ditadura!

Provocado, o comandante buscou a origem da voz e a construção inteira tornou-se seu inimigo. Com um gesto, pôs os soldados em posição de tiro e esperou o lema se repetir para dar a ordem definitiva:

— Abaixo a ditadura!

As metralhadoras começaram a atirar, e não miravam apenas a janela de onde provinha a voz, mas fuzilavam o mosteiro inteiro; e cada dedo que apertava o gatilho parecia carregar a esperança vã de que as balas fossem capazes de pôr abaixo suas paredes seculares.

* * *

Miro e Fernando assistiram a tudo extasiados, paralisados por uma emoção indefinida, até que as balas zuniram perto de suas cabeças e eles perceberam o perigo. Assustado, Nando abandonou a sala dos sinos e juntou-se a Mirella que, encolhida, ouvia o som travado e rouco das balas chocando-se contra o reboco. Miro também sentiu medo e pensou em fugir, mas identificou seu desejo naquela emoção. Permaneceu onde estava, e começou a gritar:

— Abaixo a ditadura! Abaixo a ditadura!

* * *

O mosteiro ainda estava sendo metralhado quando os sinos tocaram. Eles tocaram forte, mas sem cadência, sem partitura, um som entrecortado, carente de harmonia, como que a expressar uma dor sem sentido. Os guardas pararam de atirar, vendo no badalar dos sinos o desacordo de Deus. O abade também viu a mão de Deus nos sons que protegeram o convento.

* * *

A bala acertou Miro no peito. Ao aproximar-se, o abade viu que as mãos do menino, manchadas de sangue, ainda seguravam a corda que fizera dobrar os sinos.

IV

O escritor colocou o ponto-final na história e sorriu. A vivência é a pena com que se escrevem os melhores contos, pensou. E do texto que acabara de escrever, materializou-se a figura franzina e frágil de Dom Timóteo Amoroso Anastácio, abade do mosteiro de São Bento, em Salvador, na Bahia, que, envolto na batina branca, levantou a mão para saudá-lo. Depois, com sua voz mansa e suave, corrigiu a ficção:

— Os militares não invadiram o mosteiro, mas no momento em que eu reivindicava o direito de asilo e explicava ao comandante do pelotão que aquela era uma tradição secular dos beneditinos, um tiro foi disparado no pátio, onde já havia dezenas de jovens. Não se sabe se partiu de um estudante armado ou de um agente infiltrado, o fato é que a polícia começou a me empurrar porta adentro enquanto eu retrocedia devagar, dando tempo aos estudantes para que se escondessem. A invasão era iminente, quando uma voz que não parecia minha saiu do meu peito e, autoritária, avisou ao policial que não se invadia a casa de Deus impunemente.

E realmente foi assim. Aquele homem minúsculo deteve um pelotão inteiro, ainda que isso lhe houvesse custado muitos dissabores, não só entre as autoridades e os que defendiam a ditadura militar, mas também entre os monges que não se conformavam em ver o mosteiro hospedando jovens e mulheres.

Mas Dom Timóteo estava acostumado aos descontentamentos. Muito antes de enfrentar a ditadura militar, pôs-se contra a intransigência religiosa. E escandalizou a ortodoxia, quando resolveu aproximar a Igreja das comunidades negras que praticavam o candomblé na Bahia. O abade assimilou uma liturgia que se identificava com a cultura negra, admitindo a celebração da santa missa com berimbaus, atabaques, agogôs e outros instrumentos musicais próprios dos rituais do candomblé. Fortalecendo o sincretismo baiano e levando a Igreja ao povo negro, tornou-se amigo e interlocutor dos terreiros, especialmente do Axé Opô Afonjá e de Mãe Olga do Alaketu, firmando-se como a mais ecumênica das autoridades eclesiásticas:

— Meu filho, a igreja dos negros é azul e fica no Largo do Pelourinho, na Bahia. É a Igreja de Nossa Senhora do Rosário dos Pretos, cuja construção iniciou-se nos idos de 1700, patrocinada por negros libertos que formavam a Irmandade dos Homens Pretos. Lá, durante séculos, os negros cultuaram seus deuses e o fizeram admitindo a participação do Deus cristão. Como, então, exilar seus cânticos e louvações da liturgia? A missa dos negros é uma celebração única, que tem início com os atabaques balizando a entrada do celebrante e os agogôs marcando o canto de entrada e o sinal da cruz. Depois vem a Glorificação, que louva não apenas a Deus, mas também a Omulu e, às vezes, a Tupã, numa oração sincrética jamais vista em qualquer parte.

A música põe em transe a assistência, que se comunica com Cristo por meio da musicalidade originária dos terreiros de candomblé. De repente, uma negra com torso na cabeça, vestida com uma espécie de túnica senegalesa, com estampas vermelhas, verdes e douradas que se sobrepõem em desenhos alucinógenos, adentra a nave da igreja; e dançando sensualmente ao som da pulsação dos tambores, dá entrada à Liturgia da Palavra, entregando ao vigário a *Bíblia* que sustentará a leitura e a homilia. A tensão toma a plateia por inteiro no momento do ofertório, quando três baianas vestidas de renda branca engomada se acercam do altar carregando um tabuleiro cheio de apetitosas oferendas — abará, acarajé, cocada preta, bolinho de estudante — que serão depositadas aos pés do sacrário. E assim segue o ritual sincrético que une os homens em suas crenças, pois todas elas levam a Deus. Mas muitos não queriam ver a presença de Cristo nas cerimônias e denunciavam o anátema.

E as críticas não tardaram a aparecer, e foram tantas, que o núncio apostólico do Brasil veio à Bahia para verificar o grau de heterodoxia daquelas celebrações. Mas o abade, como Cioran, dizia que as heresias que se devem temer são apenas aquelas que anseiam tornar-se ortodoxia.

— O mais bonito, meu filho — disse Dom Timóteo, retomando a palavra — foi quando o Cardeal do Benin, Dom Gantin, veio à Bahia e pediu ao cardeal para visitar o terreiro do Bogum. Nenhum dos bispos se dispôs a acompanhá-lo, mas eu o fiz. Quando lá chegou, a mãe de santo Valentina, já cega e com mais de 90 anos, foi recebê-lo e o saudou: "Ago basa". E lágrimas lhe vieram aos olhos, ao reconhecer o dialeto Fon e a saudação reservada aos antigos reis de Daomé.

O escritor ia retomar a prosa, mas de repente a porta se abriu e Dom Timóteo dissipou-se, encabulado em dividir o passado com o homem apressado e falante que se insurgiu porta adentro e que parecia tão apegado ao presente. O escritor sentiu-lhe a falta, mas não se abateu, sabia que o abade atenderia de novo ao chamado de sua memória. Olhou para Dost com um riso matreiro e cumprimentou seu editor:

— Ago basa!

— O que?! — indagou, surpreso. — Que diabos vem a ser isso?

— Rendo-me à sua majestade — disse, irônico.

— Como?

— Nada, nada — desconversou o autor. — Eis o conto — e apresentou-lhe o maço de papéis.

Ele leu o original de um só fôlego, cada página a desenhar-lhe no rosto um sorriso de aprovação. Ao final, exclamou:

— O vocábulo me sugeria outra abordagem, mas o conto me agrada, tem ingredientes que contentarão a crítica. Além disso, é politicamente correto.

— Não o escrevi com essa intenção. E não sei se há correção política no relato, ademais acho a juventude mais importante que a política. Mas isso não importa, aprendi que o leitor lê nos livros o que quer e não o que o autor escreve.

— Mas não sei se agradará ao público — disse, reflexivo, ignorando o comentário.

— Só o público me interessa. Por que não lhe agradaria?

— O público está cansado da política e dos políticos. Essa coisa de revolução, ditadura, fez muito sucesso nos anos 70 e 80 e ainda agrada aos acadêmicos, mas não empolga os leitores, muito menos os jovens. Os leitores não gostam do que compreendem, gostam do que é misterioso, mágico.

Demonstrando o tédio que parecia sentir, o escritor respondeu, alongando as palavras:

— É a arte e não o mistério que põe encanto nas histórias.

— Sim, mas se o objetivo são grandes tiragens, por que não unir as duas coisas? Que tal uma pitada de misticismo?

— Talvez, no próximo vocábulo — reagiu o autor. — Qual será ele?

— Deus.

— Temo não corresponder à sua expectativa — disse, sem ironia. — Não creio que de minha pena saia algo místico com esse tema. Há um momento na vida em que Deus provoca apenas riso. Será melhor eleger algo menos monumental.

— Não. Deus é o vocábulo.

Deus

O riso é próprio do homem.
Rabelais

Deus acordou mal-humorado. A noite foi insone, e quando isso acontecia, acordava aborrecido. Era Deus, não precisava dormir, mas quando o fazia, gostava de fazê-lo bem. E naquela noite não foi possível, o paraíso estava insuportável. Além do calor sufocante, fora obrigado a aturar a exibição de vitalidade e capacidade reprodutiva da nova espécie de insetos que havia criado no dia anterior. Tinha de reconhecer que o homem, às vezes, inventava uns objetos úteis, como aqueles aparelhos de ar-condicionado que esfriam o ar e espantam os mosquitos. A noite foi tão calorenta, que pensou até em instalar um daqueles aparelhos no éden. Depois, lembrou-se da eletricidade e desanimou: puxar uma linha de transmissão do sol ou de alguma estrela próxima daria um trabalho dos diabos.

Além do calor e dos mosquitos, ainda foi vítima de um horrível pesadelo, no raro momento em que conseguiu pegar no sono. Sonhara que São Pedro havia se revoltado e reunido um grupo de anjos rebeldes na intenção de tomar o poder e constituir um governo revolucionário no céu. "Era só o que faltava!", pensou, São Pedro chefiando uma revolução para depor Deus. Acordara suado e ofegante, exatamente no momento em que o amotinado lhe retirava a auréola e o bastão. "Com uma noite dessas", pensou, "qualquer divindade acorda abespinhada."

Apesar disso, refez-se para enfrentar o dia que começava. Tomou um lauto café e, depois de reclamar ao anjo cozinheiro da qualidade das maçãs, mandou chamar São Pedro para que trouxesse a agenda do dia. São Pedro entrou jovial e fagueiro, e Deus não pôde esconder um certo ar de repreensão. Um pensamento perverso varreu sua mente: "Será que ele teria coragem? Eu o mandaria aos quintos dos infernos". Dominou sua desconfiança e perguntou de chofre:

— Que temos para hoje?

— Pouca coisa, Eminência — disse São Pedro, com um sorriso amarelo que contrastava com sua longa barba branca.

— Porra, Pedro! Quantas vezes tenho de lhe dizer para não me tratar por Eminência? Não sou cardeal, sou Deus, ora bolas! Trate-me apenas de Senhor.

— Perdoe-me, Eminência, quer dizer, Senhor — desculpou-se Pedro, gaguejando.

— Afinal, o que temos para hoje?

— Apenas três audiências, Senhor. O Padre Belisário, o Presidente do Sindicato dos Anjos e o Diabo — respondeu Pedro.

— Padre Belisário? — inquiriu Deus, tentando lembrar-se de quem se tratava. — Não me lembro dele, e hoje não estou com saco para padres. Mande-o conversar com São Bento ou São Domingos.

— Mas Senhor — arriscou Pedro, em voz baixa —, o caso do Padre Belisário é grave, necessitamos de uma posição Sua sobre o assunto. Talvez Vossa Eminência, quer dizer, o Senhor, não se recorde do caso, mas é urgente. Permita-me lembrar-Lhe de que se trata.

Deus aquiesceu e São Pedro continuou:

— O Padre Belisário foi, durante toda a vida, um religioso exemplar, cumpria todos os deveres sem nada questionar, apenas rezava, recebia esmolas e fazia caridades. Um verdadeiro santo! Mas, já no fim da vida, travou conhecimento com um agnóstico, que lhe deu de presente o livro *A Origem das Espécies*, de Charles Darwin, aquele maldito herege. O nosso pastor leu e analisou o livro com um interesse maior do que o necessário e passou a admitir que o homem era fruto da evolução das espécies. A partir de então seu espírito transformou-se, e o homem nunca mais foi o mesmo. Começou a ler tudo o que lhe caía nas mãos, passou pela lógica, mergulhou na filosofia, leu Aristóteles, Marx, Voltaire, enfim, leu, nos seus últimos anos de vida o que não havia lido a vida inteira. E transtornou-se completamente. De tal modo que ontem, minutos antes de morrer, não aceitou a extrema-unção, renegou a Igreja e declarou-se ateu. Agora estamos diante de um impasse. O frade cumpriu à risca, durante toda a sua vida, os mandamentos de Vossa Santidade, foi caridoso e santo e nunca levantou Seu santo nome em vão, mas na hora da morte, renegou toda uma vida dedicada à Igreja. O impasse está em mandá-lo direto ao inferno, pois a negação a Deus foi presenciada por muitos crentes, ou esquecer suas últimas palavras e atos para deixá-lo gozar as delícias do paraíso.

— Hum! Vejo que o dia promete — disse Deus, bocejando, ao tempo em que coçava a cabeça. — O cura já está aí?

São Pedro balançou a cabeça afirmativamente.

— Mande-o entrar.

O Padre Belisário entrou no amplo salão oval onde Deus dava audiências. Era um velhinho baixo, de nariz adunco, olhar penetrante e semblante trocista. Vestia uma túnica preta, com um cordão de cortina amarrado na cintura. Caminhava vagarosamente, olhando extasiado para todos os lados. Podia-se perceber que estava impressionado com o que via, sua expressão denunciava incredulidade e surpresa. Deus dirigiu-se a ele sem nenhuma cerimônia como, aliás, convém a Deus.

— Então, Padre Belisário, quer dizer que no último momento perdeste a crença, renegastes a Mim e a Minha Igreja — disse, com alguma bondade na voz.

— Senhor, deve perdoar-me — retrucou o padre, apertando os olhinhos. — Caí na armadilha da ciência, no vício da pergunta. Comecei a indagar tudo, a questionar todas as coisas. Senhor, acreditei firmemente que a ciência estava certa e que não existia essa história de céu e inferno. Todos aqueles livros que li transtornaram minha mente, distanciando-me da fé. Aquele tal Darwin, com sua teoria da evolução, fez-me cair em tentação e caçoar da origem divina do homem. Mas foi a *Bíblia*, foi ela a grande responsável pela minha queda. Comecei a ler a *Bíblia* de acordo com um plano lógico e analítico — não como antes, que lia sem entender, apenas com fé — avaliando cada capítulo, cada versículo e, então, Senhor, fui levado a concluir que todas aquelas histórias não passavam de contos da carochinha, sem nenhuma possibilidade de serem verdadeiras. Deixei-me cair em tentação. Mas agora, vendo a maravilhosa brancura desta sala, vendo o céu límpido e cheirando a pinho e aqueles anjinhos tocando cítara na balaustrada da nuvem, pude compreender como estava errado. Perdoe-me, Senhor, e prometo penitenciar-me pelo resto da eternidade.

— Agora é tarde, padre. Não se trata de perdoar. O perdão é para os que estão na Terra, para aqueles que têm de carregar o peso da dúvida e, por isso, vez por outra, caem em tentação e renegam ao seu Deus. Para aqueles que nunca tiveram uma prova, que não imaginam o que lhes espera após a morte é possível o perdão. Mas depois que é dado conhecer a verdade e a magnificência do paraíso, não cabe mais indulgência. O homem tem até o momento da morte para decidir se crê ou não. E faz sua opção. É aí que decide entre o céu e o inferno, depois não há remissão, ainda mais se tratando de um pastor. Mas diga-me, Padre Belisário — continuou Deus, curioso —, o que descobriu de tão inverossímil e absurdo no livro que conta a história da Criação?

— Eminência, eu preferia não falar mais nisso — respondeu o padre, nervoso. — Vamos fazer de conta que foi tudo um grande engano.

— Eminência é sua avó, padre! Não uso gorro vermelho na cabeça — gritou Deus, mal-humorado. — Chame-me de Senhor e abra logo o bico para que possamos decidir seu destino.

— Senhor, tudo teve início com o Gênesis — retrucou, depressa, o velhinho. — Comecei a analisar a *Bíblia* com cuidado; e ali, no Gênesis, logo no primeiro tópico empaquei. Lá estava escrito que no princípio Deus criou o céu e a terra. A terra estava deserta e vazia, as trevas cobriam o oceano e um vento impetuoso soprava sobre as águas. E então Deus disse: "Faça-se a luz". Mas quem ouviu, Senhor? Note que a terra estava deserta e vazia, e o homem não havia sido criado. Então quem ouviu o Senhor dizer "Faça-se a luz"? Esta foi a minha primeira dúvida.

Deus fuzilou-o com os olhos e berrou com sua voz tonitruante.

— Você está me gozando, padre? Olha que lhe mando já para o inferno! É claro que ninguém ouviu, fui eu que, depois, comuniquei isso aos homens.

— Perdoe-me, Senhor. Eu não sabia o que fazia — replicou o padre. — Mas o Senhor há de convir que só se pode registrar algo que se ouviu. Além disso, quem me garante que as palavras não foram "crie-se a luz" ou "apareça o sol?". E eu acho que Vossa Eminência, quer dizer, o Senhor, não possuía gravador naquela época.

Deus moveu-se no trono, iracundo, mas o velhinho continuou.

— E isso foi só o começo. Aquela história de criar o homem do barro e a mulher da costela do homem me pareceu misógina e discriminatória, mas a deixei de lado, afinal o Senhor é o Deus e cria as coisas como quer. Mas empaquei novamente com o dilúvio. Convenhamos, Senhor, quarenta dias é pouco pra encher esse mundão de meu Deus, que tem um bom sistema de drenagem. Mas até aí tudo bem. O que não pude admitir é que fosse possível colocar em uma arca um casal de todas as espécies de animais que havia sobre a terra e administrar aquilo com serenidade, durante quarenta dias e quarenta noites, como se fosse um jardim zoológico. Já imaginou, Senhor, a confusão que seria pela manhã quando todos os animais se pusessem a emitir sons conjuntamente? O galo cantando, o boi mugindo, a hiena gargalhando, o burro relinchando, uma loucura. E o fedor, Senhor, todos os bichos cagando e mijando sem um adequado sistema de esgotamento sanitário. Perdoe-me, Santidade, mas Noé deve tê-lo amaldiçoado pelo resto dos seus dias.

— Muito me admira, padre, que um homem que se fez letrado não tenha percebido que isso são apenas alegorias, símbolos para transmitir aos pecadores as noções de moral e obediência — interrompeu Deus, mais calmo.

— Mas, Senhor, isso podia ser feito com um pouco mais de factibilidade — replicou o Padre Belisário. — E não é só isso, há muito mais. Veja o caso dos anjos. Comecei a analisar a anatomia deles. E descobri que, para fazer voar um anjo de setenta quilos, seriam necessários músculos e ossos gigantescos. Teriam de ser figuras deformadas, com um osso esterno enorme e músculos descomunais para poderem movimentar as asas. Os anjos são anatomicamente improváveis, Senhor, e nunca poderiam ser como são.

— Pode vê-los agora! — disse Deus, apontando para um anjo que sobrevoava o local. E prosseguiu:

— O mais importante, no entanto, padre, é ter em conta que o Velho Testamento é um livro introdutório, necessário aos homens na fase inicial de sua evolução; é um livro destinado a atemorizar o ser humano, incutindo-lhe as normas mais adequadas de conduta moral e o temor a Deus. Foi um instrumento indispensável em determinado momento da evolução humana, mas a verdadeira palavra, a Minha palavra, está nas linhas do Novo Testamento, por meio da vida de Cristo, meu filho. Este sim, é o livro da verdade divina.

— Ah! Não me fale nisso, Senhor! — E o Padre Belisário coçou a cabeça, preocupado. — Não há quem, em seu juízo perfeito, possa acreditar naquelas histórias. Sabe, aquele meu amigo agnóstico, o que me presenteou com o livro de Darwin, contou-me certa vez sua versão a respeito do nascimento de Cristo. Segundo ele, Maria era uma garota inteligente e bela que estava prometida em casamento a José, um homem bem mais velho que ela. Voluntariosa, ela não podia admitir os ditames da Sua Lei, Senhor, que discriminava ostensivamente as mulheres, e dava aos homens, pais ou irmãos, o direito de lhes escolher o marido. Maria não queria casar-se com um homem velho, queria viver com alguém de sua idade, por isso não assimilou aquele noivado imposto e continuou saindo com seus amigos. Um dia apareceu grávida, e sabendo que a lapidação era o castigo das adúlteras, tratou de inventar uma história que a tirasse daquele apuro. Ela sabia que os homens Lhe devotam enorme temor e arrogou-Lhe a responsabilidade pelo seu estado. Um anjo, Seu mensageiro, veio para avisá-la que Deus a havia designado para ser mãe do Seu filho e que, mesmo virgem, conceberia. Por mais absurdo que possa parecer, muitos acreditaram na sua incrível história, até o ingênuo José, que se casou na certeza de que desposava uma virgem grávida, fecundada por uma pomba. Quando ele me contou essa versão safada, eu fiquei indignado, ameacei excomungá-lo, chamei-o de herege, mas depois fui pensar um pouco e o Senhor há de convir: acreditar que o Espírito Santo a fecundou é demais. Agora dele, não; dele eu sempre gostei. Era um revolucionário, falava bonito, pregava a igualdade, um santo homem. É verdade que bebia um pouco, mas isso não é tão mal assim.

— Ele quem, padre? Quem bebia muito? — berrou Deus, irritado e com as faces vermelhas como um pimentão.

— Mas que mal há nisso, Santíssimo?! — arriscou o padre. — Eu também gosto de um vinhozinho para relaxar. Além disso, não podemos faltar com a verdade. Eu analisei os Evangelhos com rigor e detalhe. E em todos eles: Mateus, Marcos, Lucas ou João, toda vez que Ele aparecia havia festas, celebrações e vinho, muito vinho. Basta olhar as parábolas ou as citações: "Não se põe o vinho novo em odres velhos pois, do contrário o vinho arrebentaria os odres levando a perder tanto o vinho como os odres. Vinho novo se põe em odres novos". Ele sabia o que dizia, era um conhecedor. E o primeiro milagre: transformar água em vinho, o sonho de todo beberrão. E vinho bom. Mesmo na última ceia, ante a expectativa da morte e da traição, ele não deixou de demonstrar como gostava do vinho. "Já não beberei deste vinho até que chegue o reino de Deus", disse, com o cálice nas mãos. Mas eu sei que isso é apenas um detalhe. O importante mesmo era a sua pregação revolucionária. Imagine, Senhor, já naquele tempo a ideia da socialização dos bens, da abolição da propriedade, do ódio à riqueza: "é mais fácil um camelo passar no fundo de uma agulha do que um rico entrar no reino dos céus". Que beleza! E isso quase dois mil anos antes de Marx. Era um grande homem, mas que bebia, bebia. Ora, isso não é tão mal assim, afinal foi o Senhor mesmo que criou as uvas. E Noé, esse então, embora fosse o mais justo entre todos, também era chegado a um pileque de vez em quando. Aliás, Eminência, com todo respeito para aguentar aquela arca era preciso um vinhozinho de vez em quando.

— Chega! Chega! Fora daqui — interrompeu Deus, perdendo a paciência. — Pedro, leve esse padreco para o purgatório, coloque-o numa adega cheia de vinho e entregue-lhe todas as traduções da *Bíblia Sagrada* para que possa, durante mil anos, embebedar-se de vinho e fé e só então voltar a falar comigo. Tenho dito! Pode mandar entrar o próximo.

O padre foi levado embora e São Pedro, voltando-se para Deus, perguntou:

— Senhor, por que não o mandou logo para o inferno? Afinal, ele foi por demais sarcástico com o Evangelho.

— Pedro — redarguiu Deus, mais calmo —, se você disser a alguém que eu disse isso eu desminto, mas gosto do padreco e, pense bem, aquela história de Noé é mesmo inverossímil e Maria, ah Maria... — suspirou, para logo depois retomar o tom autoritário:

— Mande entrar o próximo.

Nesse momento, a um sinal de São Pedro, entrou no salão um luminoso anjo, de cabelos louros e bem compridos. Usava uma barba longa, sandálias franciscanas e bolsa de couro a tiracolo, e trazia no peito um adesivo com a frase "anjos de todo o céu, uni-vos". Era o presidente do sindicato dos anjos. Persignou-se contritamente diante de Deus e falou:

— Senhor, venho trazer-lhe a deliberação de nossa assembleia realizada ontem. Estamos em greve por tempo indeterminado.

— Greve?! — articulou Deus, estupefato — o que vem a ser isso?

— Greve, Senhor. Paralisação de todas as atividades — completou o anjo, satisfeito com a impressão que havia causado.

— Não é possível. Era só o que Me faltava.

— Senhor — disse o anjo, pausadamente —, nós estamos cansados da exploração. Estamos aqui para exigir melhores condições de trabalho e uma participação mais ampla nas decisões. Há milênios que os anjos vêm sendo marginalizados, colocados à parte nas questões transcendentais e relegados a um papel subalterno, meros coadjuvantes neste paraíso. Aqui todos têm privilégios, menos nós. Veja os santos, que acordam às dez da manhã e nada fazem durante o dia, a não ser atender um ou outro pedido do povo lá de baixo. E seu Filho, que leva noite e dia bebendo vinho, enquanto Maria passa a eternidade tentando explicar a José como aquilo se deu. Enquanto esses ociosos nada fazem, nós é que botamos o céu para andar servindo refeições, levando recados à Terra, expulsando pecadores do paraíso e lavando bosta de pomba. Não, Senhor, isso não pode continuar. Queremos os mesmos direitos e a mesma importância. Mas estamos abertos ao diálogo, não defendemos uma solução radical ou revolucionária, como Lúcifer, mas também não abrimos mão dos nossos direitos. E, além disso, queremos, de uma vez por todas, resposta para a questão fundamental.

— Definitivamente, hoje não é o Meu dia — disse Deus, voltando-se para Pedro. Depois se dirigiu ao presidente do sindicato, acentuando o tom autoritário:

— Anjo é pau pra toda obra, porra! Foi assim e sempre será assim até o fim dos tempos. Como posso ser Deus sem anjos que me obedeçam sem fazer perguntas? Vocês foram criados para serem mensageiros do Senhor junto aos homens, para guardá-los, inclinando-os para o bem e preservando-os do mal. São os meus enviados. Querem missão mais bela do que essa? Além disso, permita-me lembrar-lhe, seu anjo do pau oco, que essa greve é ilegal. Funcionários do céu não podem fazer greve — disse Deus, lembrando-se do pesadelo —, há interesses ocultos por trás disso e, se a baderna continuar, mando todo mundo para o inferno.

— Se... Senhor, a violência não leva a nada — gaguejou o anjo, apavorado com a reação violenta —, estamos aqui em busca de um entendimento que possa satisfazer as duas partes, mas compreendemos Sua posição e a levaremos ao conhecimento da assembleia, para deliberação. Peço, no entanto, Eminência, alguma colocação sobre a questão fundamental.

— Eminência é a mãe! — gritou Deus, com uma agressividade medida e no intuito de atemorizar o anjo. — E que diabo de questão fundamental é essa?

— O se... o sexo, Senhor — respondeu o anjo, tremendo de medo.

— Sexo? Que sexo, ora bolas? Que merda de questão fundamental é essa?

— O sexo dos anjos, Senhor — retrucou, amedrontado. — Precisamos saber qual é o sexo dos anjos. O Santíssimo há de compreender que há milênios vivemos nesse dilema, sem que tenhamos uma solução concreta. O Senhor não pode imaginar o problema que nos causa tal indefinição. A dúvida entre falar grosso ou falar fino, a indecisão entre a toalete masculina ou feminina, as brincadeiras maldosas, tudo isso vem atazanando nossa existência sem que possamos ter sequer o direito de optar. É claro que alguns estão satisfeitos com tal indefinição, preferindo viver nessa ambiguidade atroz, mas a maioria clama por uma definição. Só não aceitamos, Senhor, aquela proposição absurda de que anjo não tem sexo. Isso não, tem que ter algum, macho ou fêmea ou ambos, não importa, mas precisamos saber qual o sexo dos anjos.

— Ah! Então é isso! Pois diga aos seus sindicalistas que não há negociação sob pressão. Não há diálogo enquanto os anjos não voltarem ao trabalho. E só falo em anjo novamente quando acabar a baderna e o paraíso voltar ao normal. Está encerrada a audiência! — finalizou Deus, dando as costas aos presentes.

— O porco chauvinista está irascível hoje, hein Pedro? Acho que escolhi o dia errado — disse baixinho o anjo, enquanto se retirava da sala.

Nesse momento um cheiro de enxofre tomou conta do ambiente e um calor insuportável aqueceu o aposento. Logo, entrou na sala um ser meio homem e meio cabra, de orelhas pontudas, patas bifurcadas, chifres e uma cauda longa que terminava em seta. Era o Demônio, e trazia nas mãos uma enorme chave de bronze. Deus voltou-se, mediu-o dos pés à cabeça, deu um risinho irônico e disse, em tom brincalhão.

— Que cara é essa! Você parece que comeu o pão que o diabo amassou.

— Senhor! O que me traz aqui é da maior seriedade. Não teria vindo a este local não fosse um assunto da maior importância, que necessito submeter a Seu desígnio. É que...

— Vamos acabar com isso! — interrompeu Deus —, esse cheiro já empesteou o paraíso. O que você quer? Que chave é essa que traz aí?

— É a chave do inferno, Eminência. Vim devolvê-la e pedir minha demissão em caráter irrevogável. Demito-me, não aguento mais dirigir aquele inferno. Não suporto mais os homens.

— Pedro, há muito tempo não me lembro de um dia tão movimentado — cochichou Deus no ouvido do santo — depois, voltando-se para o Demônio e perquiriu:

— Mas o que o levou a uma decisão tão drástica? Logo você, que se rebelou contra o poder supremo, que resolveu criar o templo do mal, a igreja da perversidade, vem agora desistir de tudo!

— Calma lá, Senhor! Eu nada tive a ver com isso. Foi o Senhor que maquinou tudo, pois na verdade sabia que sem mim Sua existência não faria sentido. Não existe Deus sem o Diabo, assim como não haveria o bem se não existisse o mal, somos faces da mesma moeda. A minha existência é que legitima a Sua, para que haver Deus, se não existe o mal? Somos inseparáveis. E até hoje guardo a sensação de que fui enganado, de que fui tentado por Deus para negá-Lo. A existência do espírito que tudo nega era indispensável para se contrapor à crença. Eu, o Diabo, sou mais importante que Deus, porque sem mim a Igreja e a fé não fariam sentido.

— Continua o mesmo presunçoso de sempre — assinalou Pedro, com ar de indiferença.

— A coisa não é bem assim — obtemperou Deus, com um leve sorriso nos lábios.

— Imagine — continuou o Diabo — um mundo onde não houvesse o mal. Onde não existisse a cobiça, a ambição, o ódio, a inveja. Num mundo assim, não haveria necessidade de Deus, Ele seria completamente dispensável num local onde só fosse permitido o bem. A ideia de Deus só se sustenta para contrapor-se ao mal.

— Ih, nosso labrego está enveredando por caminhos filosóficos — comentou Deus, sarcástico —, mas há um profundo equívoco em sua análise. Não é o mal que determina a necessidade de Deus, é a morte. Mesmo se Eu não existisse, o medo da morte e a vaidade humana criariam a ideia de um Deus à imagem e semelhança dos homens. Os homens, esses pequenos vermes que Eu criei num dia de tédio, não aceitam a morte. Uns, por soberba; outros, por medo. Esses pequenos seres, talvez por possuírem a faculdade de pensar, tornaram-se tão vaidosos, que se consideram superiores às outras espécies. Só que a morte iguala todos os seres vivos, por isso a ideia de Deus se faz necessária, para dar ao homem a imortalidade e assim preservar sua superioridade. Mas, também, por medo, pela insuportável possibilidade do nada. Os homens aspiram à ressurreição, à imortalidade e têm medo do desconhecido, por isso necessitam de Deus.

— Não, o problema é outro, Eminência — retrucou o Espírito das Trevas, com ar de superioridade —, esses pequenos vermes, como o Senhor os chama, estão cada vez mais orgulhosos, a vontade de poder dominou a todos eles. Almejam superar a Deus e ao Diabo. De Deus, querem tirar a singularidade da criação e engendram Adãos clonados para, assim, alcançarem a divindade criadora. Do Diabo, querem tomar o trono do mal, superando-o com requintes de crueldade que minha mente demoníaca jamais poderia inventar. Especializam-se cada vez mais, tanto no ódio quanto na caridade. Alguns rejeitam toda a riqueza, todos os bens materiais e os prazeres da carne. São paradigmas da fé, exemplos de virtude e bondade. A meditação e o jejum são suas armas para alcançar a santidade. Mas não pense, Senhor, que fazem isso pela consciência da verdade ou pelo desprendimento daqueles que alcançaram a serenidade e a paz. Fazem isso por orgulho, por soberba, para tornarem-se superiores aos outros homens e, assim, alcançarem a divindade. São uns pervertidos que encontram prazer no sofrimento e na dor.

— Meu caro Satanás, a situação não é tão grave assim. Sua queixa parece mais o resultado da sua incapacidade em fazer cair em tentação os justos. Isso me cheira a incompetência — interrompeu Deus, com um sorriso cínico.

— Incompetência? Não, é a consciência da superioridade deles, não para fazer o bem, que esses são poucos, algumas centenas de casos patológicos se muito, mas para fazer o mal, para exercer a crueldade de forma sofisticada, gozando com a dor alheia. Senhor, estou embasbacado. Eu, que engendrei o mal, que criei tudo de perverso e trágico que mente alguma jamais poderia inventar, fui superado. Os homens foram capazes de ser mais perversos que o próprio mal. A luxúria, a avareza, o ódio... Eles se apoderaram de todas as minhas criações e as usaram com tal crueldade, que hoje meus maiores feitos parecem brincadeiras de criança. Por isso, vim entregar-Lhe a chave do inferno. Fui suplantado por eles, os homens. Há milhares deles, muito mais violentos, muito mais perversos e capazes de crueldades tais que me fariam desesperar. Acho que estou velho, Eminência, creio que já é tempo de me aposentar e ceder o lugar a alguém mais terrível do que eu.

— Começo a sentir pena de você, e isso é um mau sinal. Quando Deus tem piedade do Diabo, algo não vai bem — arguiu Deus, reflexivo. — Mas, antes que me esqueça, Eminência é a mãe, se é que você teve uma.

— Senhor, o caso não é para brincadeira. Estou neurastênico, estressado, à beira de um colapso nervoso. Está cada vez mais difícil tentar alguém, todos já são pecadores e especializam-se cada vez mais. Lembra-se do Fausto? Enveredá-lo pelos caminhos do mal foi uma missão gloriosa. Apoderar-me de sua alma em troca da juventude, do ouro e dos prazeres da carne. Agora não tem mais graça. Todos eles são expertos nesse assunto. O inferno vai fechar as portas. O mal se mudou de malas e bagagens lá pra baixo. O inferno é a própria existência humana.

— Vamos, Lúcifer, economize a dramaticidade — redarguiu Deus, tentando animá-lo —, a coisa não é tão ruim assim. É verdade que eles estão piores do que nunca, a devassidão é tal, que deixaria os habitantes de Sodoma e Gomorra corados; a crueldade é tamanha, que arrepiaria Herodes. Mas veja o lado bom: quando todos forem cruéis e violentos, quando a humanidade inteira se atolar no ódio, na ambição e no vício do poder, eles se igualarão, igualar-se-ão no pecado e na podridão. E você sabe que é da putrefação que nasce a vida, que é das trevas que nasce a luz. Além disso, a qualquer momento posso fazer chover por quarenta dias e quarenta noites e acabar de uma vez com essa depravação. Aliás, para satisfazer o Padre Belisário e tornar o fim do mundo mais factível, talvez seja melhor optar pelo fogo em vez da água. Mas vou pensar nisso depois, agora tenho uma missão para você, meu grandioso Espírito do Mal.

— Uma missão para mim!? — repetiu o Diabo, sem esconder a satisfação. — Então o Senhor ainda acredita em minha capacidade de conduzi-los para o mal?!

— Claro que sim, Lúcifer. Deixe-me contar-lhe o meu plano.

Deus levantou-se, abraçou o Demônio e levou-o para uma nuvem distante. Enquanto São Pedro e os anjos esticavam o corpo e apuravam os ouvidos, o Senhor segredou a Lúcifer:

— Tire umas férias e venha passar uns dias no céu. Deixe os homens e venha cuidar dos anjos, sua missão é aqui e agora. O paraíso está insuportável, os anjos ameaçam rebelar-se e se organizaram de tal modo, que a qualquer momento podem deflagrar uma greve geral. A Confederação Geral dos Arcanjos tem o controle da situação; são extremamente organizados e podem paralisar o paraíso quando quiserem. De outro lado estão os santos, aqueles parasitas inúteis, que nada fazem o dia inteiro a não ser rezar e anotar promessas. Tornaram-se um bando de burocratas perdulários, tão preguiçosos que ninguém mais acredita neles. A situação está insustentável, os anjos cada vez mais organizados, exigindo melhores condições de trabalho. Os santos gastando cada vez mais e produzindo cada vez menos. O paraíso está com um déficit gigantesco. Por tudo isso, preciso da sua ajuda.

— Mas não vejo como ajudá-Lo, Senhor, minha especialidade não é bem essa — retrucou o Diabo.

— O que você vai fazer é simples: quero que todos caiam em tentação. Você vai motivá-los para o pecado, induzi-los ao mal. Deve acenar-lhes com as delícias do inferno. Aos anjos, prometerá a sensualidade e a luxúria; aos santos, o poder e a riqueza. Então, quando todos estiverem em pecado, eu os expulsarei daqui e começaremos tudo de novo. Ou, quem sabe, faço uma troca: mando esse povo daqui lá pra baixo e trago os de lá pra cá.

— Mas aí vai dar no mesmo. Não é tudo a mesma merda?

— É, mas pelo menos acaba com esse tédio daqui. Bom, você já sabe o que fazer, tome as providências necessárias e mãos à obra — finalizou Deus, voltando ao trono.

O Diabo saiu satisfeito, deixando na sala não só o repugnante cheiro de enxofre, mas também a incontrolável curiosidade de São Pedro, ávido por saber o assunto do colóquio entre ambos. A pedra da Igreja ainda fez menção de perguntar algo, mas Deus desconversou dizendo que ia descansar. Aborrecido com o descaso de Deus, foi com satisfação que Pedro lembrou-Lhe mais um compromisso:

— Senhor, Maria pede para que a receba, antes de recolher-se. Precisa falar-lhe com urgência.

— Era o que faltava para terminar o dia! — disse Deus para os seus botões. — Mande-a vir.

Maria, luminosa e bela, entrou na sala, a água matizava o azul dos olhos. Ela encarou Deus com tristeza e exclamou:

— Ele pediu o divórcio!

— De novo!? — exclamou o Senhor. — Em dois mil anos ele já pediu o divórcio mais de trezentas vezes! E nunca se decide: ou separa de uma vez, ou aceita definitivamente a situação. Maria, deixe isso pra lá. Isso vai passar, vamos conversar um pouco.

Despediu-a, enquanto dava as últimas instruções do dia:

— Não estou para ninguém, Pedro, e só me acorde às dez. O que temos para amanhã?

— Está agendado o Juízo Final, Senhor — respondeu Pedro.

Já no fim do corredor, com carinho, abraçou Maria que se retirava, e gritou:

— Cancele. E marque para o próximo milênio.

V

O sol já se punha, quando a palavra milênio foi digitada. O escritor levantou-se e foi ao jardim da casa. Os raios avermelhavam a copa da grande árvore que ensombrecia a varanda e a vegetação parecia absorta, como a admirar o trabalho de Deus. Ele gostava daquela casa avarandada, com quadros espalhados por toda parte e poemas escritos nos muros. Gostava especialmente das plantas, da buganvília dupla que se derramava no telhado, dos alpinos que cresciam à beira da alameda, das onze-horas que demarcavam os caminhos, das graxas que começavam a cobrir Bilac:

ouvir estrelas! Certo
o senso! E eu vos direi,
para ouvi-las,
pálido de espanto...

E da hera que teimava em recriar Cecília:

Renova-te
em ti mesmo
olhos para veres mais
braços para semeares tudo
olhos que tiverem visto
visões novas

Destrói os braços
que esqueceram de colher
Sê sempre o mesmo
sempre alto

Ele conhecia bem a Casa. Sabia que ela não se contentava em ser apenas a lousa, queria ser também o giz, por isso, refazia os poemas, dava-lhes outro sentido, ressaltava os versos que mais lhe agradava, apagava aqueles que lhe pareciam excessivos. A Casa tinha ânsias de escrever e fazia da natureza o lápis e o apagador. Temperamental, recusava-se a abrigar o que rechaçava, e o reboco caía quando nele se desenhava um verso sem sentimento ou um texto sem substância. Ampla e espaçosa quando acolhia o sonho, ela acanhava-se quando seu umbral dava passagem ao cotidiano.

O escritor escutava seu ranzinzar. Às vezes, sentava-se no banco da praça que tinha seu nome, onde a sombra da acácia induzia à meditação, tentando convencê-la de que uma casa não pode receber apenas quem lhe convém. Mas a Casa não se deixava persuadir. Não gostava daquele visitante de olhar impertinente que roubava a calma de quem ela amava. Ao vê-lo, como agora, a atravessar sem cerimônia o caramanchão que conduzia à porta, suas fontes refluíam, suas plantas murchavam, a brisa desaparecia.

Ao entrar, o editor sentiu um certo mal-estar, pensou por um momento que havia entre as plantas e os objetos daquela casa um complô cujo objetivo era devolvê-lo à rua, mas logo se desfez da impressão, era um homem pragmático, e para ele os objetos nada podiam ser senão objetos. O escritor veio recebê-lo com os originais à mão e não se espantou quando as cigarras se puseram a cantar num coro desafinado.

A leitura do conto não o entusiasmou, nem sequer foi capaz de tirar-lhe um sorriso. Preocupado, ele disse, encarando seu interlocutor com ar de reprovação:

— O público não gosta de ver suas crenças ridicularizadas.

— O propósito não foi ridicularizar a crença de ninguém, meu interesse está no riso, não na fé — retrucou o escritor, impaciente.

— A religião é o maior de todos os temas, transforma rezas em *best-sellers*. Um pouco de crença pode vender milhares de livros.

— Temo não ser esta a minha seara, já pus Deus num livro e não sei se o público gostou de como o fiz.

— Crê n'Ele?

— Não sei. Sei apenas que não posso crer num Deus que não seja capaz de rir.

— Não recordo, na *Bíblia*, nenhuma passagem em que Deus se apresente rindo — disse, com um ar de profundo conhecedor do Evangelho.

— Mas Ele admite ser objeto do riso. Sara riu de Deus, quando, quase centenária, descreu da profecia que anunciava sua maternidade e da capacidade de seu marido, mais velho ainda, proporcionar-lhe prazer. Apesar disso, ao filho do riso de Sara Deus deu o nome de Isaac, que em hebraico significa ele rirá ou riremos. Em Deus podemos negar tudo, menos o humor.

— Talvez caia no gosto popular — disse, reflexivo. — Aliás, um povo que consegue rir de si mesmo, por que não riria de Deus? Mas você abusa dos diálogos...

— "A arte de escrever, quando devidamente exercida, é apenas outro nome para a conversação" — interrompeu, citando Sterne.

— ... e das frases curtas — concluiu, sem dar importância à citação.

— E daí? Beckett opôs aos longos parágrafos de Proust os seus, curtos, cheios de vírgulas, afiados como faca.

— Alguns dizem que na escrita o excesso de diálogo é sinal de mediania.

— É verdade. Shakespeare foi um escritor mediano — rebateu irônico, elevando a voz.

— Mas foi um dramaturgo.

— Teatro, conto, poesia, que importa? Tudo são palavras, e com elas posso fazer qualquer coisa.

— A presunção não soa bem na lábia de um escritor e aborrece o público. Além disso, ao que me consta, poesia não é seu ramo.

— Engano seu, as palavras são o meu ofício, posso entortá-las num romance, embaralhá-las num conto, aprisioná-las num poema. A minha casa é feita de palavras, e a cada dia mudo-lhe a forma. Dê-me o vocábulo e lhe darei o poema.

— Casa! — desafiou.

O escritor tomou de uma folha em branco e pôs-se a fitá-la, absorto. Depois de alguns minutos, começou a escrever, e logo o papel estava nas mãos do editor.

CASA

A casa voa como se fosse ave
E leva nas asas meu devaneio.
Acolhe, quando pousa, a alegria e o anseio
Expulsa, quando pode, a solidão e o alarve.

Airosa, recebe sem receio
Aos que são de bem; gélida como neve,
Atende ao que a invídia traz no seio.
Mas é ampla e acolhedora, casa nave.

Que pela vida navega com quem amo,
Que atrai a quem prezo e exila a quem temo.
Que louva a arte e despreza o ouro.

Baú do passado, arca do futuro.
É minha casa, jardim que almejo,
Onde cultivo o que amo e desejo.

Enquanto o editor lia, pôs-se novamente a escrever, e antes que o inevitável comentário viesse, apresentou-lhe um novo poema:

Quando a chuva rega o jardim da casa
E a água alforria o perfume da terra,
Uma melancolia imprópria descerra
Seu véu, sem adivinhar-se rasa.

Os lírios protestam, nostálgica torna-se a hera,
A buganvília espinha, a rosa se põe desditosa.
Atávica, a tristeza é forte, vem de distante era
Mas a casa se transforma em asa.

E faz voar a antevisão do fim.
Abre a porta para quem traz o riso e a música,
Põe a alegria a dançar, bailando em volatim.

A casa torna-se então consorte romântica,
Une os que nela vivem num amor assim,
E faz da vida harmonia e mágica.

Surpreso, o editor leu o novo soneto sem muito entusiasmo. Ia comentar alguma coisa, quando o escritor indagou, irônico:

— Deseja outro, mestre?

— Não, não! Chega de poesia e de casa. Não tenho dado sorte com os poetas, e sua casa não é exatamente aquela em que eu gostaria de viver.

— Disso eu tenho certeza — concordou —, mas a que se deve a birra com os vates?

— É que hoje qualquer um que escreve um versinho de rima pobre se considera poeta.

— Vá lá, isso é verdade. É o meu caso — aquiesceu o escritor, sorrindo.

— E o pior é que poesia não vende. Você já viu algum livro de poemas tornar-se um *best-seller*?

— Não é bem assim, há poetas com enormes tiragens.

— Sim, desde que morram antes.

— Então mais vale um *marchand* que um editor.

O comentário deu azo a uma contestação provocativa:

— Ainda acho que o texto abusa dos diálogos.

— Dê-me, então, alguns momentos para que eu possa lhe oferecer uma história sem diálogos.

O escritor sentou-se à mesa, e avidamente suas mãos puseram-se a combinar as letras.

* * *

Anita era uma mulher séria e virtuosa que morou nesta casa após a morte de seu marido, o Comendador Alfredo, que nos bons tempos havia sido subministro de viação e obras públicas, mas que, após aposentar-se, dedicara seus últimos anos de vida aos ofícios religiosos e às obras de caridade, cuja organização estava a cargo do Padre Miguel, que vinha a ser seu contraparente, irmão que era da sua cunhada Luíza. O comendador era um homem voluntarioso, mas responsável e, ao perceber que sua saúde tornava-se a cada dia mais frágil, atacado que fora por um súbito mal que lhe fazia arder o peito de modo desesperador e que os médicos afiançavam tratar-se de um mal chamado fogo-selvagem, doença autoimune de caráter endêmico e evolução crônica e progressiva, que, segundo eles, jamais o mataria, embora lhe fizesse sofrer mais que o Filho na cruz, resolveu que era o momento de dar testemunho do seu amor e dedicação à sua esposa, Anita, muito mais jovem que ele e que não saberia, ante seu passadiço, acostumada que fora por seu pai, o saudoso Emergenildo — homem de posses e princípios que chegara a ser prefeito de Mundo Novo, cidade histórica encravada na Serra do Encalço — e por ele, que jamais deixara que nada lhe faltasse, cuidar da sua própria sobrevivência. Tomou assim as devidas providências junto ao notário, homem probo e letrado em que confiava plenamente, pois era primo de Alexandre Arias, seu compadre e melhor amigo, para que todos os seus bens fossem convertidos em papéis de rendimento mensal, de modo que Anita, sem qualquer esforço ou preocupação, as quais não podia suportar desde que fora tomada por uma estranha neurastenia que, diziam as línguas maldosas, era fruto do estresse de viver submetida aos seus ditames, pudesse recebê-los em casa, gastando-os ao seu bel-prazer quando ele se fosse, o que parecia, visto as dores lancinantes que continuavam a atormentá-lo, não demoraria mais que um par de anos.

O notário fez-lhe ver que, embora o rendimento mensal fosse garantia de estabilidade e segurança para Anita, pois as taxas de juros estavam em patamar nunca visto e o governo não escondia sua defesa aos interesses dos grupos financeiros que, ademais, haviam financiado a campanha presidencial, não era, em absoluto, conveniente deixá-la sem qualquer bem imóvel, afinal sabiam todos que, nesses tempos modernos, as coisas mudam com tamanha rapidez que só persevera o que é feito de ferro e concreto, visto que seria aconselhável e prudente manter a posse de pelo menos um bem de raiz, protegendo assim a frágil Anita dessas reviravoltas econômicas que sempre ocorrem, embora, justiça se lhe faça, o atual Ministro das Finanças fosse homem de qualidades únicas e conhecimentos amplos, tendo voltado recentemente ao país após quatro anos de estudo em respeitada universidade americana.

O Comendador Alfredo comprou então uma casa, mas, supersticioso, nunca admitiu morar nela, argumentando que, depois que fosse dessa para a melhor, sua esposa mereceria viver num lugar não contaminado pelos seus vícios e manias e, ressalte-se, manias era o que não faltava a esse homem superlativo, capaz de impor sua presença em qualquer ambiente; não esperava, porém, que sua morte, que lhe parecia próxima, custasse tanto a chegar, de tal modo que a casa ficou fechada por muitos anos, apesar dos insistentes apelos do notário, que sugeria seu arrendamento em prol não apenas do ganho financeiro, mas sobretudo da conservação do imóvel, que, já se sabe, casa inabitada tende a deteriorar-se. O comendador não podia suportar a ideia de que a casa, que serviria de abrigo à Anita depois que batesse as botas, fosse habitada por quem quer que fosse, menos ainda por homem que, igual a ele, mancharia com seus vícios a morada que tinha reservado para sua querida consorte.

Ocorre que, fechada por muitos anos, a casa rebelou-se contra a solidão e pôs em movimento um processo de reconstituição que surpreendeu a todos e que horrorizou os últimos dias de vida do Comendador Alfredo e de seu notário, que, diga-se, morreu antes dele e de desgosto, como afirmam muitos, por não compreender o que se passava naquela casa, coisas do outro mundo que, em verdade, desafiavam o seu raciocínio treinado na descrença e no materialismo. A casa, sem embargo, parecia tomada de vontade própria; a hera cobriu suas paredes sujas de modo que a fachada adquiriu um aristocrático tom esverdeado; o telhado, antes sujo e cheio de folhas, tornou-se limpo e brilhante, como se a ventania tivesse deliberadamente varrido as folhas e a chuva torrencial lavado telha por telha e, nunca é demais lembrar, o madeirame que sustentava as vigas do telhado e que se pensava comido pelos cupins, mantinha-se intacto.

Até aí tudo bem, afinal ainda era possível explicar cada movimento por uma ação natural, embora houvesse uma estranha conjunção de fatores contribuindo para, a cada dia, dar um aspecto mais atraente à casa abandonada. O comendador, que já não saía mais de sua própria casa, agora verdadeiramente vivendo seus últimos dias, exigia notícias diárias do que lá se passava e já desaconselhava Anita a viver naquela habitação, ainda mais que ele não estaria próximo para protegê-la e não tinha explicação para tão desusados acontecimentos. Às vésperas de sua morte, correu pela cidade a notícia de que os muros e as paredes da casa estavam cheios de poemas e textos escritos, não se sabia como nem por quem, o que mobilizou a todos, mesmo aqueles que denunciavam a ignorância do povo e que não admitiam tratar-se de uma casa mal-assombrada, como queriam os crédulos, e foram estes os primeiros a aproximar-se, mas foi impossível entrar, as portas continuavam trancadas e Anita não admitia que fossem abertas enquanto seu amado marido permanecesse vivo, o que não demoraria muito.

O Comendador Alfredo, que viveu durante anos com seu fogo-selvagem, estava apodrecendo, destruído por um câncer que tivera início na próstata e que por muito tempo fora, para surpresa de muitos, motivo de orgulho, pois dizia ser a doença a prova concreta de sua incomparável virilidade, pois que tanto sêmen produzira em vida sua glândula fenomenal que nada mais natural ser ela afetada pelo mal, justificado pelo excesso de uso, e, dizia ele, feliz estaria não fosse a metástase que lhe atingiu aos ossos, produzindo dores insuportáveis que o fizeram pedir a morte, até porque ele tinha certeza que sua vocação religiosa, ainda que tardia, lhe garantiria o acesso ao paraíso, embora persistisse na dúvida quanto à sua existência e localização. Morto o comendador, Anita relutou em mudar-se, mas, antes de uma decisão definitiva, juntou amigos e curiosos para ver pessoalmente a casa que diziam ser assombrada. Em lá chegando, todos viram, estupefatos, a hera da fachada bem cortada, o jardim cuidado, a grama aparada, a varanda limpa, tudo perfeitamente asseado à espera de Anita, e quando ela abriu a porta e todos entraram em algaravia, as paredes impuseram silêncio, nelas estava impresso um poema que misturava os versos dos poetas que ela amava.

Teus olhos são negros, negros,
São ardentes, são profundos,
Teu corpo claro e perfeito.
Quero possuí-lo no leito

Como o negrume do mar;
Como as noites sem luar...
Teu corpo de maravilha
Estreito da redondilha

De mulher do que de casa
Tua sedução é menos
Nas alvas dobras de um lençol de prata
Como gênio da noite, que desata

Pelo que pode ser dentro
De suas paredes fechadas
O véu de rendas sobre a espádua nua
Ela solta os cabelos... Bate a lua

E na parede da sala, ao centro, como num altar, a Casa apresentava seu próprio poema e fazia sua elegia:

E como espero, ansiosa, tua vinda
Toma-me o desejo de fazer versos
Impossível fazê-los
Falta-me a pena e o pergaminho
Mas tenho paredes alvas
E das plantas extraio a tinta
Que nelas espraio
Assim torna-se mais doce a espera
Pois ao copiar a poesia que te louva
Espanto a dor que me faz aflita
E dedico-me inteiramente a esperar-te
Anita

E Anita foi morar na casa que, à espera dela, fazia versos de amor. E quando se dizia que ela lá não devia estar, a confiar num lar mal-assombrado, ela ria de dar gosto e viço e perguntava: pode fazer mal a alguém uma casa que escreve poemas?

* * *

O editor leu e ficou tão estupefato quanto aqueles que não acreditam que as casas possam fazer poesia:

— Meu Deus, o que vem a ser isto?!

— Você reclamava do excesso de diálogos. Pois bem, como lhe sabe um coquetel de orações, uma salada de períodos? Se eu quiser, escrevo cem páginas assim, mas não quero.

Um murmúrio estranho pareceu brotar das paredes, e o escritor teve certeza de que a Casa aprovava o conto que ele havia escrito. Assustado com aquele ciciar sem origem, o editor comentou:

— Sabe, às vezes acho que sua casa é mal-assombrada, como a do texto. Não me sinto bem nela.

— Acho que ela tampouco se sente bem com você.

O homem olhou ao redor, viu os versos espalhados pelas paredes, os livros espalhados pelo chão, a varanda cheia de quadros e caramanchões e sentiu um calor estranho que tornou o ambiente insuportável. Não adiantou mudar-se para o jardim, pois lá a quentura parecia maior, apesar das árvores e da sombra, e começou a transpirar, quando lhe pareceu que olhos se multiplicavam nos muros, observando cada passo seu. O suor escorria pelo seu rosto tornando-o pegajoso, quando ele resolveu ir embora. Irritado, gritou do umbral do portão:

— Não gosto do seu cão, nem da sua casa. Mas ainda assim continuarei vindo aqui para transformá-lo num escritor.

— Já sou um escritor, o máximo que você poderá fazer é comunicar ao mundo que o sou.

— Farei isso. Sexo é o próximo vocábulo. É uma receita infalível, quando se trata de *best-seller*.

Sexo

Tinha horror a sangue. Não identificava a origem do pavor, mas a visão de sangue humano ou de objetos cortantes em contato com a carne o fazia arrepiar. Isso vinha da infância, e ele não sabia explicar o porquê da fobia; sabia apenas que detestava as armas brancas, e seu corpo padecia de uma estranha sensação quando via ou imaginava a carne humana cortada por uma lâmina. O suicídio desesperava-o, não qualquer um, mas aquele praticado com uma fina lâmina cortando pulsos. A simples menção de um ato assim provocava nele uma náusea inexplicável.

Definitivamente, não gostava de ver sangue. A imagem de uma operação cirúrgica no aparelho de televisão — registro que parecia ter grande audiência pelas vezes que se repetia — o obrigava imediatamente a cerrar os olhos. Evitava os filmes violentos, especialmente aqueles em que a agressão era explícita e sanguinária.

Essas cenas conseguiam impor ao seu corpo tal sensação de desconforto, que ele as evitava, embora, em momentos de autodeterminação as impusesse a si mesmo, imbuído da certeza de que com o tempo acostumar-se-ia. Era inútil, cada exercício desse tinha um efeito recessivo que aguçava ainda mais o seu temor.

Não que a fobia lhe causasse transtornos maiores; afinal, com exceção da imperiosa necessidade de fechar os olhos ante uma cena de sangue ou da incontrolável vontade de fugir quando se deparava com um acidente, vivia uma vida normal e não apresentava qualquer sintoma ou característica patológica. Achava que possuía um medo semelhante ao das pessoas que não podem ficar em lugares fechados ou que se apavoram com altura, e que em algum momento haveria de descobrir a causa do fenômeno.

Buscou uma explicação nos tratados de psicanálise. Recorreu a Freud e convenceu-se de que seu problema tinha origem nas experiências sexuais da infância. Passou então a buscar nos escaninhos da memória algo que lhe desvendasse o enigma.

Depois de muito molestar seus neurônios e de relembrar coisas que preferia continuassem esquecidas, chegou à conclusão de que podia haver algo de sexual em sua fobia, mas a única recordação que pôde resgatar foi uma lembrança, misto de excitação e medo, de pavor e riso, que não parecia ter a força de um trauma.

Fazia o curso ginasial na cidade da Bahia. O ginásio ficava no topo da ladeira de São Bento, no centro da cidade, em uma praça congestionada de gente, onde reinava majestoso, em milhares de metros quadrados, o convento dos padres beneditinos. Em frente ao convento, descendo a ladeira, estava a Praça Castro Alves e, logo acima, a Avenida Sete se bifurcava na Rua da Ajuda e na outrora famosa rua Chile. No fundo da praça, atrás do mosteiro, havia duas ou três ruelas estreitas, esburacadas e íngremes que desembocavam no Largo da Barroquinha. Era no meio de uma dessas vielas que se erguia imponente um sobrado colonial meio arruinado, pintado de cores berrantes. A imaginação ginasiana escolheu aquela casa como o móvel de suas paixões, e a descoberta de que ali funcionava um bordel aguçou a curiosidade dos adolescentes. Excitados, os garotos passavam horas debaixo da grande amendoeira que havia no fundo da praça observando o contínuo entra e sai vespertino dos frequentadores do sobrado, atiçando o espírito com histórias inverossímeis sobre as personagens daquele paraíso do desejo.

Corria, entre os garotos, a versão fidedigna de que as mulheres da casa eram estrangeiras de meia-idade, vindas da Suécia e da França e que nas horas vagas tinham como passatempo iniciar os jovens nos prazeres do amor. Outros asseguravam que nas horas quentes da tarde o sobrado recebia universitárias e colegiais das melhores famílias da cidade, que vinham não em busca de dinheiro, mas para saciar seus desejos reprimidos. Eram muitas as histórias que se escondiam atrás da fachada do misterioso sobrado, e uma delas latejava em sua memória. Talvez, ali estivesse a gênese da sua aversão aos objetos de corte.

Contava-se que certa feita um homem, alto, louro e com curioso sotaque, começou a frequentar assiduamente o sobrado. Dizia-se um aristocrata, que havia deixado sua terra pelo gosto da aventura e que, agora, caminhava pelo planeta em busca de uma mulher que o enfeitiçasse. No dia em que encontrasse tal mulher a levaria com ele para o outro lado do mundo, onde era possuidor de grande fortuna. Estava, agora mesmo, à espera de um grande lote de mercadorias de alto valor que, depois de comercializadas, permitiria que ele alugasse o bordel por um fim de semana inteiro. Semanas depois, o forasteiro arrendou o puteiro com tudo o que nele havia, inclusive as mulheres. O preço acertado foi mais que suficiente para cobrir tudo o que "as meninas" pudessem arrecadar.

E por vários dias o homem reinou qual um vizir, tendo aos seus pés todas as damas da casa e oferecendo aos seus amigos um banquete em que eram servidas as mais belas e apetitosas mulheres que um mortal poderia desejar.

Como era de se esperar, uma dessas mulheres tornou-se a favorita do alegre esbanjador. Era uma japonesa de pouco mais de 20 anos, que fazia os homens delirarem de tanto prazer, pois, diferente das outras, seu sexo não se posicionava verticalmente entre as pernas, mas tinha uma leve inclinação que o tornava oblíquo e, por causa disso, seus parceiros alcançavam um gozo indescritível. Passou com ela a maior parte do tempo, e o que estava programado para três dias durou toda a semana, transformando-se numa extravagante orgia, em que se consumiu toda a bebida e comida do lugar.

Ao amanhecer do sétimo dia, a dona do bordel, que já vinha insistindo com o forasteiro sobre a necessidade de dinheiro para repor os estoques e pagar os compromissos, foi surpreendida com o seu inesperado desaparecimento. Ninguém sabia onde ele estava, ou quando tinha ido embora. A cafetina compreendeu então que havia sido enganada, e bufando de raiva, jurou vingança.

Mas tudo ficaria por isso mesmo não fosse o encantamento que a misteriosa gueixa provocou no estrangeiro. Nada no mundo o impediria de deitar-se novamente com sua japonesinha. Furtivamente, com a audácia dos apaixonados, voltou certo dia ao velho sobrado e implorou um último encontro para que pudesse gravar definitivamente na memória aquela sensação inimaginável, que não havia encontrado em porto algum do mundo. Ela concordou e marcou o encontro para a noite seguinte. Era chegado o momento da vingança. Na hora marcada, a bela gueixa colocou uma navalha na linda xoxota oblíqua e esperou no quarto escuro pelo forasteiro alucinado de paixão.

Naquela noite os médicos do pronto-socorro não puderam esconder o espanto com o surpreendente caso de um marinheiro holandês que tivera o pênis retalhado por uma puta da ladeira da Barroquinha.

A recordação da história, longe de solucionar seu pavor a objetos cortantes, deu origem a duas novas fobias, que o acompanharam pelo resto da vida. Desde então, teve o maior respeito para com os honorários a que faziam jus as prostitutas e nunca mais conseguiu olhar para uma japonesa sem pensar nos incomensuráveis prazeres que ela guardava, obliquamente, no meio das pernas.

VI

Era madrugada, quando o ponto deu fim à história. O autor foi ao jardim em busca de ar fresco, rindo do texto que havia escrito. Ultimamente, o riso lhe atraía mais que o drama, talvez por ver nele uma forma de o homem esquecer sua soberba; mas, na verdade, para ele a palavra sabia mais que o tema, pouco importando o sentimento que ela pudesse gerar. Para ele o riso era uma forma que o homem encontrava para repelir sua semelhança com Deus que jamais ri. Rindo, o homem diferenciava-se de Deus, e isso era uma forma de imortalidade.

Não acreditava na imortalidade, mas tinha ciência de que somente a palavra poderia intentá-la. Ao dar nome às coisas, o homem buscava dar-lhes uma individuação própria, sempre vinculada a ele, para assim tornar-se o Criador, pois as coisas sem nome não existem. Adão criou o mundo quando começou a nomeá-lo; antes, ao nomear a si mesmo, creu que esta era a forma de diferenciar-se e assim enganar a morte. Foi inútil, os nomes ajudaram a morte em sua ocupação e tudo resultou apenas em longos necrológios ou em epitáfios presunçosos. Melhor seria, talvez, desbatizar os homens, tornando-os anônimos para assim dificultar o ofício da morte. Mas tampouco isso teria alguma valia: o fadário humano, com ou sem nomes, seria o mesmo para todos, sendo melhor que houvesse uma designação qualquer — não para sobrepor a uma lápide, que as pessoas já não se ocupam delas, mas para dar título a um obituário nas redes sociais, único registro válido nos tempos modernos.

Absorto ao avaliar o desiderato humano, o escritor a princípio não se deu conta da conversação ao seu redor, mas logo atentou que Dost e a Casa confabulavam. Surpreendeu-se, pois a afinidade entre os dois era antiga, mas não contemplava o complô da palavra. Tornou-se tísico, a curiosidade reclamando o teor da conversa. Percebeu que ambos rezingavam do seu editor:

— Ele o aborrece, por isso minha antipatia. A voz ofende meus ouvidos, os tiques contagiam minha neurastenia e não posso suportar alguém que entra no santuário dos outros com tamanha desenvoltura. Você, então, é como se lhe pertencesse. Bate nas suas portas, cospe a gosma do tabaco no seu tapete e enche de fumaça seu ambiente.

Enquanto falava, Dost alisava com a pata o chão de ardósia da varanda, e toda a Casa parecia amodorrada, desfrutando o afago, ocupada apenas em ouvi-lo. Vez por outra, um comentário extravasava da parede porosa, sempre concordando com a alegação do cão:

— E usa sapatos cambados, que me arranham o piso.

— Mas não é só isso, se tampouco fosse seria fácil ignorá-lo. Reparou como ele o acabrunha? Sua presença o deixa transtornado, torna-se presunçoso ou agressivo, põe-se em posição de defesa e, às vezes, sinto nele um desejo de impressionar, de fazer-se maior do que na verdade é. Não compreendo a necessidade que tem ele de atrair a atenção deste homem.

A Casa concordou, completando:

— Quem aborrece a ele, aborrece a mim. Ele levantou minhas paredes, arou minha terra, cuidou das minhas plantas, não posso amar quem não o ama.

— Ele cria, é como Deus. O outro é apenas um homem, preso à vontade de usufruir da criação.

— Não é bem assim — redarguiu a Casa —, Deus precisa de templos para ser louvado, e são homens como aquele que os constroem.

Dost pôs-se a refletir. A Casa tinha razão, o dono precisava daquele homem que dispunha dos meios para levar sua criação aos outros homens, embora não entendesse por que isso era tão importante. Mas precisaria ser assim? Seria necessário que sempre houvesse alguém alimentando-se do criar alheio? E se fosse possível disseminar a literatura pelo mundo sem intermediários? Poderíamos eliminar todos os editores. Ele ficaria feliz e afortunados seriam milhares de escritores.

A Casa fez ranger a armação do telhado, em sinal de desaprovação:

— O mundo não funciona dessa maneira, além disso, não se pode sair por aí eliminando as pessoas — disse, num murmúrio solene. — E lembre-se: cada um é cada um à sua maneira.

A casuística não dava margem à objeção, mas o cão não se convenceu:

— Talvez não fosse necessário extinguir a todos, eu poderia matar apenas este. E não sentiria remorso. Não posso libertar-me da impressão de que sua morte faria bem ao meu dono — disse, mirando o escritor.

— Se matá-lo, o mundo não terá acesso à sua criação.

Dost não respondeu, e a Casa recolheu-se. Ambos haviam pressentido distintamente a chegada do editor. Ainda perplexo com o que imaginou ter escutado, o escritor riu e pensou que não seria de todo ruim um mundo sem editores. Não teve tempo de degustar seu desejo, a porta se abriu e de novo estava em sua frente o homem que buscava originais.

Deu-lhe o que desejava. Ele leu de um só fôlego e não escondeu seu descontentamento:

— Eu lhe peço sexo e você me oferece fobias.

— O sexo é uma espécie de fobia — rebateu, com ar professoral.

— O leitor não quer saber o que é o sexo, quer identificar-se com quem o faz.

Dost levantou-se e foi em direção a ele, que não pôde reprimir o susto. O escritor aproveitou a deixa:

— Você sabe que a psicanálise coloca na angústia da castração a origem das fobias? Diz, por exemplo, que a fobia aos cães representa o medo de uma vagina cheia de dentes — riu e continuou, brincalhão — e o pavor a animais cabeludos denota o medo de tocar nos pelos pubianos.

— Não me venha com gozações. Só mesmo da sua cabeça poderia sair a ideia de pôr uma navalha no sexo de uma mulher.

— A vagina afiada da minha prostituta foi tirada do cérebro de Freud.

— Você novamente tripudia com a crença. A psicanálise é uma espécie de credo, e aqueles que creem não tardarão a excomungá-lo. Aliás, temo pelo seu futuro: o que se pode esperar de um autor iconoclasta, que vitupera contra Deus e contra a psicanálise? — replicou, afastando-se do cachorro.

— Não é minha intenção abalar a crença de ninguém, apenas divirto-me em colocar alguma graça nela. A origem de todas as fobias está no complexo de Édipo, assim pensa Freud; eu penso que o cérebro humano transcende o mito edipiano, mas isso não me interessa.

— E o que lhe interessa?

— O riso! Estou convencido de que o homem somente assumiu sua humanidade quando começou a rir.

— Suas ideias pecam pelo reducionismo.

— É a expressão do meu cansaço. Mas veja, há algo de autobiográfico no conto: a hematofobia me perseguiu durante muito tempo.

— Ao que me consta, seu pênis não foi retalhado — retrucou, sarcástico.

— Não foi necessário, livrei-me do sintoma antes.

— Como?

— Por meio da autoterapia. Goethe a cada dia subia numa torre mais alta, e assim livrou-se da acrofobia. Eu escrevi duas centenas de páginas que espirravam sangue para, assim, acostumar-me com ele. E houve um editor que se encantou com a história e a publicou. Mas não adiantou.

— Não creio nos poderes terapêuticos da escrita — aquiesceu o editor.

— Tampouco eu, ainda tremo só em pensar na faca de Saturno a cortar os testículos de Urano.

— Meu caro amigo, sua conversa é agradável, mas eu não vivo da palavra oral. Quero um conto que tenha sexo, esse é o tema que atrai os leitores.

— Este vocábulo já tem seu conto. Escolha outro.

— Paixão!

— Temo que a paixão, vista por meus olhos, deixará os seus irritados. Mas que seja.

Paixão

, então ela pegou o telefone e disse: "venha"; ele não disse nada, pôs o aparelho no gancho, levantou-se, olhou para a secretária, falou que voltava logo; ela esperava ansiosa, cruzou e descruzou as pernas várias vezes, alguma coisa não ia bem, tentou disfarçar a apreensão, acendeu um cigarro; ele entrou, calmo como sempre, um pouco calmo demais, pensou ela, uma calma excessivamente planejada, por isso falsa; ela sorriu sem esconder o ar pesaroso e não foi possível evitar a interrogação. O que há?, não há nada, nem bem nem mal, pensou ele, mas isso não é resposta que se dê a alguém que espera algo, é importante existir algum tipo de constrangimento, algum medo, senão tudo fica insuportavelmente maquinal; ela, pelo contrário, acredita em uma ordem pré-determinada, só nela é possível encontrar plenitude em qualquer coisa, especialmente no amor; desanuvia o cérebro, convencida de que aquele momento é predestinado, abraça-lhe roçando a nuca com a mão esquerda, procura seus lábios, de leve começa a mordê-los com ânsia, uma ânsia descontrolada, quase hostil, vinda não se sabe de onde, talvez saiba, vinda das profundezas de quem se sabe frágil, do íntimo de quem antevê o fim, e daí? Que importa o fim? Ninguém dele escapa, melhor contentar-se com o agora; ele enlaçou-lhe a cintura, puxou-a ao encontro de si, o calor invadiu seu corpo, deixou-se dominar pela sensação agradável, tudo o mais esvaece; desliza a mão esquerda sobre o corpo liso, um tremor lânguido antecede a entrega, a mão áspera torna-se suave quando lhe toca o peito, desabotoa a blusa quase sem perceber, estremece ao sentir a mão entre suas pernas, não pensa em nada, a sensação de ser possuída, de entregar-se tolamente, preenche todos os espaços; ela ainda delira no vácuo do prazer; ele já é todo racional, o sexo é pleno, realizador, mas absurdamente rápido, é o clímax e a queda imediata; é alcançar a glória e não desfrutá-la, e nessa efemeridade está a diferença entre o prazer físico e o prazer intelectual, este é duradouro, mas confuso, indeciso, nem se sabe prazer; aquele é pleno, seguro, imediato e claro, mas fugaz, traz em si a frustração do próprio prazer; ela não pensa assim, o abandono, a lassidão era a continuidade do prazer, o desejo de acariciar, a lerdeza no corpo, o formigamento leve, delicioso; o amor era mais belo nas mulheres, ela não podia escapar dos pensamentos, uma melancolia aguda superava a plenitude da saciedade e provinha dele, do seu silêncio, da falta absoluta de gesto ou palavra; o amar nos homens era vazio, era apenas a vontade de desvencilhar-se de algo, tão logo conseguiam voltava-lhes à existência fria, ao cotidiano linear; neles não havia a entrega que transcende o prazer; ele pensou em tirá-la daquele torpor, em inventar um medo, um perigo, qualquer coisa que a trouxesse de volta, uma preocupação que a tirasse do devaneio, a fizesse voltar ao seu domínio, alguma coisa que novamente a aprisionasse a ele; "ele pode chegar a qualquer momento"; ela abriu os olhos, uma chama de indignação perpassou a película verde, por que dizer aquilo? Para que trazê-la bruscamente ao mundo real? Intuía desamor, não podia compreender por que ele estava ali, por que tinha vindo? Percebeu desde cedo a distância, a reserva sutil, por isso lhe perguntou o que se passava, ele nunca respondia às suas perguntas, tergiversava, nunca admitia estar nele a origem da tristeza dela, era nítida sua fragilidade; ele a escondia por baixo da sua racionalidade, sabia do fim próximo, não decidia nada, nunca acabava nada, esperava a exaustão espontânea; a indiferença ou o acaso agiam por ele, jogava de modo dual, afastava e atraía, era cruel; para ele tudo estava no lugar: o casamento, os filhos, nenhuma paixão, a segurança do lar; cômodo amar quando as circunstâncias lhe favorecem, depois o conforto burguês de uma família comum; ela, não, arriscava tudo por seu amor ou algo que se parecesse com isso, arriscava destruir sua vida, sempre pronta a chamá-lo, a ir ao seu encontro; ele preservava-se, um cuidado excessivo, o egoísmo de quem não ama e, agora, esse alerta inoportuno: "ele pode chegar a qualquer momento", não havia preocupação em sua voz, nem medo, era apenas uma maneira de acabar o encontro, um ardil para levá-lo de volta às suas obrigações, talvez ela também fosse uma obrigação; o silêncio deixou-lhe desconcertado, ele sabia que estava sendo julgado e nada podia fazer, nada mais lhe prendia ali, tinha ido por gosto e agora acabou, era preciso voltar ao mundo, gostava dela, um carinho sincero, que mais podia dar? Amor? Não amava ninguém, nunca amou, o que chamam de amor é paixão, desejo sexual, nada mais; o amor era uma invenção humana, o homem o criou assim como criou Deus, ambos obedecem ao objetivo predeterminado de dar sentido à espécie, mas não existem, assim como não existe sentido algum na existência, não há amor, há o desejo e este é breve; o amor é uma forma de aureolar de razão o instinto físico; admitir que homem e mulher se atraem apenas pela carne é aceitar a inexistência de Deus, o triunfo do primitivo; na vã esperança de diferenciar-se do animal, o homem dá sentimento à luxúria, colocando-a nos limites da normalidade, mas, de repente, tudo explode e ele se mostra tal como é: animal no cio em busca da fêmea, não era igual nas mulheres? Sim, também nas mulheres era sexo e não amor, "ficais sabendo que, quando uma mulher forma um projeto, não há marido nem amante que consiga impedir sua execução"; os árabes tinham razão, ela era a prova cabal daquela sabedoria, era preciso ir, apesar da mágoa; "ele pode chegar a qualquer momento", que importa que chegue, talvez fosse bom resolver isso de uma vez por todas, acabar com a hipocrisia e os subterfúgios, tirá-lo daquele casamento sem amor, ainda que tivesse que fazer isso à força. Ele não temia por ela, temia pela segurança que ela já havia muito tinha jogado para o ar; imaginar que ele, em sua presunção, pensava tê-la conquistado quando fora ela que havia tramado tudo; desde o início ele apenas seguiu o caminho traçado; ela decidiu tornar-se sua amante, fez-se difícil, com arte e encanto, sempre uma possibilidade no ar, e veio a primeira noite, o orgulho da conquista brilhando em seu sorriso; durou pouco, ele não amou de maneira completa, uma excitação de menino, depois mostrou-se pleno, entregou-se desajeitadamente com um carinho insuspeitável em um homem, foi terno e grato, não como agora, frio e distante, a ânsia de terminar tudo da maneira menos dolorosa, sempre resguardando sua caução doméstica. Ele impacienta-se com a demora, levanta-se, diz que vai embora, começa a ensaiar uma desculpa, ouve o ruído do automóvel na garagem, assusta-se, um antigo medo lhe torna rubra a face; paralisado, ouve a movimentação no jardim, o trinco da porta, em seu cérebro a imagem do escândalo, nítida, não acreditava que ele viesse assim de repente, dava o alerta sem convicção, como uma desculpa para livrar-se dela, não o imaginava em casa no meio da tarde; era um idiota, enfim compreendia; ela havia tramado tudo, por isso mantinha-se calada, um plano para envolvê-lo definitivamente, forçar a situação obrigando-o a tomar posição; ela planejou o encontro, o escândalo inevitável, o caminho livre, mas era arriscado, a situação-limite, o desfecho imprevisível, as mulheres desejam com a força da insensatez; ela não conseguirá, não terá o que deseja, Deus! Não há mais tempo, os passos na escada; ela estava aturdida, não sabia por que ele resolveu voltar àquela hora, sempre vinha à noite, tarde, desconfiava de algo, andava arredio, irritado, indagando lugar e horário, meu Deus! Como terminará tudo isso? Assustado, viu a porta abrir-se, percebeu a arma, tentou correr antes que as balas, uma atrás da outra, lhe perfurassem o corpo; ela viu o corpo cair, ensanguentado, lágrimas reverdeceram quando um movimento imperceptível deu o sinal de que ali estava um cadáver; paralisada, tremia convulsivamente; esperou, seu corpo alvo, nu, era belo, contrastava com o sangue no tapete, o revólver apontava para ela, a mão tremia muito, o instinto a dominou, percebeu o controle de novo em suas mãos; desconsolada, levantou-se, foi ao encontro dele, a nudez alva e sensual ocupou os espaços, um gesto da mão fez a arma estremecer, ela não vacilou e já não havia medo quando encostou seu corpo ao dele e entregou-se num beijo violento.

VII

O escritor abriu a porta do estúdio, ansioso pela aragem da noite. Não pôde degustá-la, pois avistou, vindo em sua direção, a figura do editor. Ao vê-lo, um sentimento estranho lhe invadiu e identificou uma aversão sem motivo: seria o rosto rubro e congestionado, o nariz adunco de matiz rosado, a voz, que se tornava esganiçada e alta no auge da discussão? Não, não era isso, tampouco o temperamento ácido que extravasava nas frases mais banais; a birra vinha da ascendência que ele tinha sobre seus escritos, do poder de descartá-los. O que ele sentia era uma forma primária de ódio, curtida na certeza de que ser ou não escritor dependia da vontade daquele homem, cujo pragmatismo não escondia a falta de erudição. E, como o ódio sempre se acompanha do medo, o veredicto que infalivelmente sairia daqueles lábios exânimes lhe amedrontava, pois, além de desabonar sua vocação, colocava o texto em suspeição, inoculando a ânsia do refazer.

E se fosse possível eliminá-lo? E se fosse possível eliminar todos eles como queriam Dost e a Casa? Livrar a escrita dos editores, criar um mundo em que o leitor e o autor estariam ligados diretamente, pela linha que une a criação e o desejo de ler. Sonhou então com um *chip* libertador, acoplado a um eletrodoméstico qualquer, capaz de armazenar todos os textos criados e que respondesse ao toque do desejo do leitor com a produção de uma cópia impressa ou eletrônica. A distribuição *online* da arte, textos digitalizados vendidos diretamente ao leitor, de forma unitária, sem custos de produção ou distribuição, sem estoques ou armazenamento. Um mundo sem editores ou pareceristas, em que cada leitor fosse o crítico da obra lida. Deu-se conta de que o avanço tecnológico já estava tornando factível seu desejo, mas permaneceu a dúvida se a literatura seria melhor num mundo assim. Sua divagação foi interrompida:

— Então, que temos esta noite?

Logo o manuscrito estava em suas mãos:

— Tome, leia.

A leitura foi privada da atenção pelo charuto que ardia na boca sem lábios, e vez por outra uma baforada escrachada inundava de fumaça o aposento. Era de se esperar uma indiferença solene ao que ali se relatava, mas quando o fumo se dissipou, a indagação veio com uma expressão pasmada:

— O que vem a ser isso? Um experimento?

— Não, é apenas um conto.

— Que começa com uma vírgula.

— E por que não?

— Qual é o enigma?

— Decifre-o.

O escritor virou-lhe as costas, aproximou-se da janela, procurando os pontos luminosos no fundo azul, o que às vezes lembrava-lhe a velha gravata do pai. O editor seguiu-o, e sua voz esganiçada desatou o *four in hand* que ele fazia com um pedaço do firmamento.

— Excesso de laboratório torna o texto artificial — pontificou, com afetação.

— A noite passada ainda traz gravada sua ânsia por um texto que rompesse as estruturas da escrita.

— E você crê que esse conto faz isso? — disse, com intenção de desdourar a obra.

— Não, é apenas um conto, uma história, mas é um direito meu contá-la da maneira que mais me agrada.

— Não me parece original.

— Já registrei meu desinteresse pela originalidade.

— Senti falta dos diálogos, eles dão mais ritmo à ação.

— Há pouco você reclamava do excesso de diálogos — o escritor pronunciou as palavras lentamente, para que não soassem ríspidas.

— Está bem, às vezes você desmascara minha presunção, mas percebe que estou aqui para ajudá-lo, para aproximar seu texto do público?

— Não quero intimidade com o público, dele só necessito o aplauso. Mas nem a ânsia da aclamação será capaz de edulcorar meu texto.

O editor pôs-se a andar de um lado para outro, o maço de papéis na mão:

— Aceito a vírgula aleatória, mas se deseja o aceite do público deveria pôr mais sangue e mais sexo.

— Quero apenas o público, não o seu gosto.

— Admito, o conto é interessante — disse, ignorando o comentário —, mas o final é excessivamente dramático. Aliás, gosto mais de seus contos quando eles são engraçados.

O escritor nada disse, limitou-se a olhar para o cão, como a pedir ajuda. Dost, que a seus pés ouvia a conversa, levantou--se e deslocou-se lentamente em direção ao editor, os dentes à mostra. Assustado, ele pôs-se a andar atabalhoadamente, embaraçando-se nas próprias pernas, transformando em riso a aversão que vicejava no autor. Antes de vê-lo transpor a porta sem despedir-se, apavorado com a reação agressiva do cão, ele lembrou-lhe o sexto vocábulo:

— Escolha você mesmo — gaguejou —, e vê se na próxima visita prende esse maldito cão.

O escritor acariciou Dost, puxando-lhe as pelancas do rosto para trás, de tal modo que o Shar-pei ficou parecido com seu editor, ou pelo menos ele assim o quis. Riu da parecença e decretou:

— Armand! Este será o próximo vocábulo.

Armand

As portas da faculdade foram fechadas sem que os jovens, reunidos em assembleia, se dessem conta. Os policiais cercaram o prédio e subiram as escadas calmamente, convencidos de que a ação seria rápida e não demandaria violência. O objetivo era específico: arrestar o estudante de codinome Armand. Identificado na última passeata, suas fotos foram confrontadas com os prontuários da universidade e sua matrícula localizada na Faculdade de Economia. Não havia, contudo, acusação explícita contra ele. Sabia-se que frequentava as assembleias e não era segredo sua posição no movimento estudantil, mas não perfilava entre os líderes nem participava das ações violentas; seu papel era o de arregimentador, especializado em usar a lábia para atrair os calouros para as hostes revolucionárias. A função não justificava a mobilização de um destacamento inteiro de policiais nem o cerco que se impunha à faculdade, ainda mais levando em conta seu dossiê no serviço de informações, que o dava por um *bon vivant*, mais empenhado nas conquistas amorosas do que nos embates políticos. Mas entre os oficiais sabia-se que não eram razões de Estado as responsáveis por todo aquele aparato, que atendia apenas ao desejo de vingança do comandante da tropa.

* * *

Armand costumava acompanhar as passeatas sem muito entusiasmo, prestando mais atenção às pernas que as minissaias se mostravam incapazes de cobrir, do que às palavras de ordem repetidas insistentemente, e naquele dia não foi diferente. Extasiado por um par de joelhos que faria inveja à Nara Leão, ele não percebeu quando o batalhão de choque, que se mantinha em posição de alerta, avançou de repente sobre os estudantes. Apalermado, não acompanhou os movimentos da multidão que se dispersava correndo em busca das ruelas que contornavam a praça, e só deu por si quando uma mão pesada o agarrou pela gola da camisa, e com um golpe jogou-o ao chão.

Não foram muitos os estudantes presos naquele dia, mas o comandante deu-se por satisfeito. Passeata dispersada, pôs os universitários em sua própria condução e deu ordem de retorno ao quartel, onde seriam submetidos a interrogatório. Saindo da Praça da Sé, onde a passeata tivera fim, os carros do exército seguiram pelo Terreiro de Jesus, diminuindo a velocidade quando adentraram as ruas estreitas do Centro Histórico. Foi aí que Armand levantou-se, apesar de o jipe estar em movimento, e começou a gritar em desespero, como se afligido por uma dor profunda, chamando atenção dos turistas que lotavam o Largo do Pelourinho. O comandante sabia que aquele tipo de serviço não admitia plateia, fez parar o comboio e, cutucando o jovem com o cassetete, gritou com autoridade:

— Que porra é essa? Você quer apanhar aqui mesmo, na rua?

— Cagar, comandante! Eu preciso cagar, e se não for agora, seu jipe vai virar um mar de merda.

O golpe que desagravaria a insolência já estava armado, mas o comandante hesitou, talvez ciente de que a premência em satisfazer uma necessidade fisiológica imperativa levava a atitudes petulantes e, às vezes, embotava a percepção do medo e da autoridade. E ele, que muitas vezes fora surpreendido pela urgência inoportuna em evacuar seus próprios excrementos, resolveu conceder ao prisioneiro o direito inalienável de defecar. Determinou então ao cabo Onofre que o conduzisse ao banheiro do restaurante do Senac, ali mesmo no largo, onde o cagão poderia esvair sua merda.

Nunca Armand pensou que desejaria tanto uma latrina, e subindo as escadas do velho sobrado, armou seu plano de fuga. Onofre postou-se à frente do lavabo que servia aos sanitários masculino e feminino, incitando o estudante a apressar a satisfação de suas necessidades; ficou a apreciar o movimento das baianas que, vestidas de renda e com torços brancos na cabeça, serviam aos turistas os quitutes da culinária africana. Foi então que Armand, aproveitando-se da distração do soldado, saiu do banheiro masculino e trancou-se no banheiro das mulheres. A demora acabou por despertar a atenção do cabo que, empurrando a porta do banheiro, constatou que o prisioneiro havia fugido. Desesperado, desceu a escada em carreira, acreditando ter-se por ali evadido o cativo, e só muito depois resolveu, acompanhado da tropa, verificar o banheiro feminino. De lá Armand já havia saído, mas impossibilitado de retirar-se do restaurante cercado de policiais, optou por um arriscado expediente. No vestuário das garçonetes, apossou-se de um traje típico, e travestido de baiana, com torço, renda e patuá, ficou a esgueirar-se pelo salão repleto, pondo um guardanapo aqui e outro acolá, com uma desenvoltura discreta, passando despercebido ao pelotão.

O Pelourinho foi vasculhado de ladeira a ladeira sem que o estudante fosse localizado. Possesso, o comandante voltou ao quartel, descontando sua raiva no cabo Onofre e nos outros presos. E tudo ficaria por isso mesmo, não fosse a imprudência de Armand que, ainda vestido de baiana, terminou a noite contando sua história a todos os que bebiam no Tempo, o bar da intelectualidade local. Entre aqueles que, às gargalhadas, ouviram a história, estava um jornalista de *A Tarde*, que deixou o bródio mais cedo para compor a matéria que sairia na página policial da edição do dia seguinte, contando em detalhes a história do estudante que fizera de bobo o Comandante Monteiro.

* * *

Patrícia de Almeida Couto era filha do comodoro do iate clube, e a política não constava do rol de suas preocupações. Recentemente eleita *miss* primavera, estava muito envolvida com as festas da sociedade para dar-se o luxo de perder tempo com as discussões intermináveis que os estudantes travavam sobre a situação política e econômica do país. Ignorava-as solenemente, e apesar do assédio, nunca havia comparecido a uma assembleia. Sua alienação irritava os estudantes politizados, mas não lhes diminuía o desejo de vê-la nas assembleias estudantis. Eram tais a graça e a simpatia da *miss*, que se tornava impossível rejeitá-la, mesmo quando ela pronunciava um impropério absurdo. Aliás, Patrícia era falante e dada a neologismos e extravagâncias em se tratando da língua. Quando, por exemplo, defendia um ponto de vista contrário ao consenso, ela afirmava à guisa de explicação:

— Estou fazendo a advocacia do diabo.

Ou então, ao identificar vestígios de omissão em seu interlocutor, ela concluía, com propriedade:

— Você está "pilatizando" as coisas.

Às vezes surpreendia os professores com uma indagação inusitada. Como quando perguntou com aplicado interesse ao catedrático que terminara sua explanação com um solene "vice-versa":

— Professor, por que vice-versa e não versa-vice?

Bem que o professor tentou ridicularizá-la, mas Patrícia refutou a tentativa, valendo-se dos seus anos de análise:

— Suas ironias não vão me deprimir, mestre. Eu sou uma pessoa "terapeutizada".

Entre as alunas da faculdade, a rebeldia se expressava nos cabelos desarrumados, nas batas indianas folgadas e nas sandálias franciscanas; mas Patrícia, insensível às críticas, vestia-se com esmerada afetação e era impossível não a admirar na sua minissaia curtíssima, que quase emendava com a bota de cano alto que ela vestia com surpreendente desenvoltura.

Mais rápido que os políticos, ela formava partidos, dividindo as massas entre os que a defendiam com deslumbrada admiração e outros que a repudiavam com veemência. Armand não se filiava a nenhuma dessas correntes, mas não podia conter o olhar de desejo quando via Patrícia, linda e reacionária, desfilando entre os jovens que iriam mudar o país.

* * *

O episódio do Senac elevou Armand à condição de líder estudantil. Satisfeito, ele intensificou sua função de aliciador de calouros e resolveu empreender a mais difícil das missões: conscientizar Patrícia de Almeida Couto do seu papel social e político e da necessidade de participar do movimento estudantil.

O logro a que havia submetido o Comandante Monteiro fora tão desconcertante, que despertara Patrícia da alienação; e Armand, escudado na sua notoriedade recente, enredou a burguesinha na sua cantilena aventureira; e de tal modo foi convincente que ela resolveu integrar-se ao movimento estudantil e aquiesceu em participar da próxima assembleia.

Sexta-feira, fim da tarde, no instante em que o destacamento do exército ocupava a faculdade em busca de Armand, Patrícia dirigiu-se ao auditório para participar de sua primeira assembleia.

Estava linda na sua minissaia curtíssima encimada por um *top* minúsculo, incapaz de suportar plenamente o volume dos seios pontudos. E foi assim, com os cabelos esvoaçantes, que ela entrou de supetão na sala de reuniões, onde os estudantes discutiam questões de ordem intermináveis. E tão bela estava, que uma perplexidade incontrolável fez calar todas as vozes para, no minuto seguinte, reuni-las em uma exclamação excitada:

— Oh!

Sentados em frente à plateia de estudantes, os líderes do movimento não gostaram da intromissão e exigiram silêncio. Entre eles estava Armand que, na volição de agradar Patrícia, puxou uma cadeira para que ela se sentasse ao seu lado. Desenvolta, a *miss* não se fez de rogada, e no momento em que se colocava em votação mais uma ação contra a ditadura militar, ela sentou-se em frente à multidão e cruzou as pernas sem inibição. De novo fez-se um silêncio perplexo, somente quebrado pela nova exclamação uníssona que lhe deu seguimento:

— Oh!

* * *

Quando a tropa invadiu a sala, Comandante Monteiro à frente, Armand já não estava ali. Patrícia aborrecera-se com as discussões intermináveis e ele resolveu levá-la ao terraço da escola. E, finalmente, suas investidas obtiveram sucesso. Encantada com o estudante que tivera a foto estampada no jornal por ter feito de bobo o comandante do regimento, ela não resistiu ao assédio e, entre beijos e carícias, os dois foram tirando cada peça de roupa. Completamente nua, Patrícia distanciou-se um pouco para que Armand pudesse admirá-la, depois abriu os braços, chamando-o para o amor. Mas o estudante não se moveu; nu, continuou a olhá-la fixamente, estarrecido com a beleza que lhe era dado admirar. Foi nesse momento que o Comandante Monteiro, após desbaratar a assembleia, derrubou com um pontapé a porta que dava acesso ao terraço e viu-se, finalmente, frente a frente com sua presa. A tropa já havia invadido o ambiente, quando a ordem foi dada:

— Prenda-os!

Mas, sem que o comandante impusesse qualquer gesto, Patrícia pôs-se a andar lentamente em direção à porta, nua e linda, no passo cadenciado que o salto alto do sapato regia. E um embaraço irresoluto se espalhou pela tropa, que, paralisada, mirava extasiada o desfile da jovem universitária.

Antes que o grito do Comandante Monteiro os tirasse do torpor, Armand deu um salto, pegou na mão de Patrícia e desceu as escadas correndo. No segundo piso ainda movimentavam-se os demais soldados, mas a visão de Patrícia nua, descendo as escadas com os cabelos em desalinho também os fez estacar. Os dois continuaram correndo até alcançar a saída que dava para a rua, e foi um fim de tarde glorioso para os velhinhos que jogavam dominó, para o lambe-lambe, que gravou a cena em 3 por 4, para os mendigos, que deixaram de esmolar, para os estudantes que abandonavam as escolas e para todos os que tiveram a graça de ver Patrícia de Almeida Couto correndo nua, à luz do crepúsculo, na Praça da Piedade.

VIII

Ele olhou pela janela, esperando ver Patrícia passeando, iluminada apenas pela lua que nacarava a noite. E sem assombro viu seu vulto alvo acenar-lhe, chamando-o para fora. Levantou-se e viu a musa de sua juventude, os cabelos alourados cujas mechas ele adorava tocar, viu os olhos trapaceiros, que olhavam para todos, embora parecessem olhar somente para ele, viu os seios empinados e as coxas perfeitas, torneadas e longas, que se juntavam para emoldurar, sem qualquer lacuna, o ventre mais lindo que ele jamais havia visto. Enquanto ele admirava a jovem passeando no jardim, sua mão, libertando-se do cérebro, desceu pelas pernas e tocou no seu sexo, acariciando-o como se fosse outra mão, e esse movimento, lentamente, fez correr para ali todo o sangue do corpo e por um momento subtraiu-lhe a consciência, criando um estado de não pensar, um éden dos sentidos que prevaleceu até aflorar o líquido que fez sua mão tornar-se de novo sua. Saciado, ele já não prestava atenção na jovem, quando ela se aproximou e disse baixinho:

— Eu sempre achei que você tinha mais desejo por mim quando estava só.

— Não é verdade. Perto de você meu desejo era tão grande, que se tornava incapaz de concentrar-se em um só ponto, como se meu corpo inteiro quisesse penetrá-la; e era tamanha a vontade que, impossível de ser dirigida, desagregava-se em milhares de pequenos desejos frustrados. E você não sabe o desespero que eu sentia ao saber que, solitário, apenas sua imagem nua, que eu guardava entesourada em meu pensamento, era capaz de desencadear em mim tamanha lubricidade e vigor. Eu a desejava tanto, que não era capaz de extravasar meu desejo, talvez com medo de que, se assim o fizesse, eu o tornasse um pouco menor.

— Ainda me quer assim?

— Sim, e hoje eu saberia como amá-la, mas o que a maturidade me deu em experiência tirou em ingenuidade, meu querer jamais será tão puro, tão verdadeiro como foi quando eu não podia tê-la.

— Se ainda me quer, vá buscar-me. Estarei lá esperando por você.

— Não, não posso tê-la, simplesmente porque a Patrícia que lá está não é a mulher que eu amei. Essa já não existe. A jovem que eu amava tanto que não podia amar está presa num tempo em que eu já não posso estar. A outra eu amei, muito depois, e fui perfeito no amor, mas não era mais ela, o tempo havia construído uma outra Patrícia. Você é a mulher que eu amei, que ainda posso ver, mas que jamais poderei tocar.

Dost latiu, e a bela silhueta que vagava nua pelo jardim esvaeceu-se. As lembranças não suportam a força da natureza, e o escritor voltou do seu devaneio a tempo de ouvir dobrar os pequenos sinos, desadormecidos pelo portão que se abria. Seu editor entrou devagar, olhando para os lados, desconfiado.

— O cão está preso?

— Não — respondeu. — Dost é mais livre do que qualquer um de nós, não há prisão capaz de encerrá-lo. Mas tranquilize-se, ele não lhe fará mal.

Ouviu-se um som gutural que parecia dizer: "não tenha tanta certeza".

Mas Dost não se moveu, nem mesmo quando sentiu novamente aquela irritação sem pejo que avisava estar próximo o homem que ele acreditava detestar. Olhou para o dono, avisando que se manteria quieto, mas sem coibir a insatisfação com a presença recorrente.

O escritor riu, e vendo aproximar-se o editor, não se deu o trabalho de esperar o pedido inevitável, antes foi buscar as páginas recém-impressas. A leitura não o deixou satisfeito:

— Posso ser sincero? Esperava um drama, algo mais triste, a dramaticidade é a alma da literatura.

— Não faz muito você elogiava minha capacidade de fazer rir — rebateu, de chofre.

— Ainda elogio, mas os críticos — e você necessita ser reconhecido por eles — não gostam de leveza, querem um texto pesado, quase incompreensível, é assim que se chega a eles.

— Meu objetivo é o público. Além disso, do pouco que sei do ofício de escrever, posso lhe garantir que há mais arte em fazer rir do que em provocar o choro. Quanto à dramaticidade, não esqueça que Dost lhe fez abdicar do direito legítimo de dar tema ao conto, ele escolheu o mote e gargalhou ao ver o que fiz.

— Espera que eu acredite que seu cão lê textos e ri? — retrucou, com ironia.

— É a expressão da verdade. Os cães riem! Fazem sinais semelhantes ao riso, puxam os cantos da boca, exibem os dentes e emitem uma espécie de vocalização ofegante. Os cães expressam seu amor por meio dos signos. Dost, por exemplo, jamais exala seu feromônio quando você está por perto. Creia, ele ri com frequência, e seu riso me contagia.

— Ora, faça-me uma garapa, não posso crer que esse monte de pelanca ri.

Dost abriu os olhos em sinal de desaprovação, mas permaneceu deitado aos pés do dono.

— Mas vamos ao que interessa, temo não ser portador de boas notícias. Até aqui foram sete dias e sete contos, mas não encontro motivo maior para publicá-los. Admito até certa graça neles, mas jamais a possibilidade de encantarem visceralmente o público. E de que adianta publicar um livro que sei, de antemão, que não será um *best-seller*?

— O desejo do aplauso não me obriga a produzir um *best-seller*, posso ser ovacionado com uma tiragem de dois mil exemplares.

— Tampouco me agrada a máquina de produzir *best-sellers*, mas ela tornou-se indispensável para atender a alta rotatividade do varejo. Que fazer, se a maioria ledora está viciada nos melodramas feitos em série?

— Então estou dispensado. Afinal, para produzi-los não é necessário um escritor, há equipes especializadas, fábricas de *best-sellers*. Abomino tudo isso.

— Sinto, mas não encontro motivo maior para uma edição.

Ele sabia o estrago que suas palavras poderiam fazer, por isso tentou amenizá-las:

— Mas temos ainda um conto. Talvez, como Deus, você tenha deixado o homem para o último dia.

O escritor olhou para ele com raiva e, por um momento, aderiu ao complô de Dost e da Casa:

— Se não publicar meu livro, serei capaz de matá-lo — disse, com uma entonação que dava margem tanto à broma quanto à veracidade.

— Não brinque com o que não comporta pilhéria. Além disso, você não parece daqueles que chegam às últimas consequências.

— É verdade, aquele que faz da palavra, do som ou da cor sua expressão não leva nada às últimas consequências, a não ser a sua sina. Mas às vezes penso em matá-lo — reiterou, sério.

— Morto jamais poderei publicá-lo.

— Outro o fará.

Ele não retrucou, permaneceu calado, mesmo quando um ruído estranho, assemelhado ao riso, pareceu brotar das paredes. Assustado, pensou que talvez fosse melhor ir-se de uma vez por todas, deixando de lado aquele escritor enlouquecido com seu cão selvagem e sua casa quase assombrada; mas, fosse pelo que fosse, era um editor, não podia libertar-se da ideia de que poderia estar no último conto o diamante que iluminaria a cravelha:

— Esqueça o que eu disse, nosso pacto ainda não foi rompido. Você me deve um conto, depois dele falaremos sobre a publicação.

— Está bem, que seja. Eleja o vocábulo.

Cansado daquela casa e daquele escritor, o editor respondeu, emendando as palavras, louco para ir embora.

— Morte ou amor, o que sua loucura escolher.

Morteouamor

(E O MUNDO CONTINUARÁ O MESMO)

PEÇA EM UM ATO

PERSONAGENS:

HOMEM DE TERNO (cerca de 30 anos, usa um terno escuro, bem cortado)

HOMEM DE GUARDA-PÓ (meia-idade, cabelos grisalhos, bem apessoado, usa um guarda-pó branco)

PROSTITUTA (loura, excessivamente pintada, roupas extravagantes e sensuais)

MULHER MORENA (morena, bonita, mas muito magra, viciada, olhos fundos)

O EMISSÁRIO (feio, expressão determinada, cara de mau, veste um casaco de couro)

A ação começa à noite e decorre ao longo do dia seguinte, até o entardecer.

CENA I

(*Um sobrado num bairro deserto, mas perto do centro da cidade. As luzes da cidade às vezes iluminam o ambiente. Dois homens conversam num quarto com pouca luz. Um deles está com um revólver na mão e brinca com ele, alisa-o como se fosse um amuleto querido. Antes havia colocado no chão um prato de comida e água. Veste-se de forma apurada, terno azul-claro impecável, camisa bem cortada, gravata cara. O outro é um homem de meia-idade, cabelos levemente grisalhos, bem afeiçoado; veste um guarda-pó de forma desalinhada, a barba por fazer, usa óculos de aros finos.*)

HOMEM DE GUARDA-PÓ: (*Irritado, depois subserviente.*) — Não quero sua comida, quero sair daqui. Deixe-me ir, por favor! Farei tudo o que quiser. Dinheiro? Posso arranjar algum, mas, por Deus, se continuar encerrado aqui vou enlouquecer. (*Ambos se calam, o Homem de Terno continua a brincar com a arma e parece divertir-se com a situação. O Homem de Guarda-pó vai se acalmando aos poucos e retoma a palavra, agora com uma expressão de perplexidade.*)

Não posso entender como um homem como você presta-se a este tipo de trabalho. Em alguém mais rude, a ignorância justificaria o ato. Mas você, não. Você é um homem culto, refinado. Tem a inteligência e a sensibilidade dos homens superiores e, no entanto, dedica-se a uma ocupação tão bárbara.

HOMEM DE TERNO — Não há homens superiores, há apenas homens! Tudo o mais é conversa-fiada.

HOMEM DE GUARDA-PÓ — Você é a negação do que acabou de dizer. É poliglota, expressa-se bem, cita autores de memória, veste-se apuradamente, bem diferente do comum dos mortais. Admito que os homens nascem iguais; mas, a partir daí, diferenciam-se e tornam-se, a depender das circunstâncias, superiores. Isso é lógico e plausível; o que não é plausível é um homem desenvolver aptidões intelectuais e, em vez de dedicar-se ao aperfeiçoamento delas, optar por ganhar a vida de modo tão grotesco. É possível a um civilizado eleger conscientemente a barbárie?

HOMEM DE TERNO — Você fala muitas coisas ao mesmo tempo e embaralha as ideias. Se faz isso no intuito de distrair-me, afastando-me do meu objetivo, perde seu tempo. Estou aqui para matá-lo e vou fazer isso no momento certo. Você verá que é um ato como outro qualquer. Será tão rápido, tão ligeiro, que você quase nada sentirá. Não esqueça: eu sou um profissional. Isso vai acontecer, inevitavelmente, a não ser que algum fato extraordinário, surpreendente mesmo, venha modificar seu destino. É pouco provável. Conforme-se, portanto, encare o fato como algo perfeitamente normal, plenamente de acordo com as leis da natureza, adequado ao perfeito equilíbrio do cosmo. Você morrerá e o mundo continuará o mesmo, à noite sucederá o dia, ao sol seguirá a chuva e os rios continuarão correndo para o mar.

HOMEM DE GUARDA-PÓ (*assustado*) — Não quero morrer, eu...

HOMEM DE TERNO — Deixe-me concluir! A parte prática da nossa história é essa: vou matá-lo. Com relação à questão teórica, da superioridade dos homens ou de alguns homens, o problema é mais complexo e devo discordar de você. Não aceito a tese da largada a zero: "todos os homens nascem iguais, as circunstâncias os diferenciam". Não sei se é bem assim. É claro que o meio tem um papel ponderável na formação da personalidade humana, talvez até preponderante, mas ele não explica tudo. Alguns dos mais horrendos crimes já cometidos o foram por indivíduos que tiveram circunstâncias de vida extremamente favoráveis. Em alguns casos, e não são poucos, nenhuma circunstância poderia explicar o grau de irracionalidade de determinados indivíduos no ato do crime e a perfeita adequação com o meio que muitos deles apresentavam na convivência diária. Poderíamos falar num ato de loucura ou mesmo, como querem alguns, na transmissão congênita do caráter violento, mas nada disso importa. O que vale é a atração pelo crime que muitos indivíduos apresentam. Mas a incompreensibilidade só é válida sob a égide do pensamento moralista, que vê no delito um ato classificado como mal. Abstraindo-se este caráter moralista, o assassinato torna-se um ato comum na existência de qualquer espécie. Como você pode ver, a depender da ótica, não há paradoxo algum em mim, assim como não há superioridade alguma nos homens.

HOMEM DE GUARDA-PÓ (*Põe as mãos no rosto e começa a chorar, está inconsolável. E grita no meio do choro.*) — Então estou condenado, é isso?

HOMEM DE TERNO (*Com olhar comovido e um ar de simpatia no rosto.*) — Não fique assim. Os condenados têm direito a uma última refeição, e por vezes a ver quem mais ama. (*Sai e tranca a porta do quarto.*)

CENA II

(*Uma sala ampla, ao fundo um piano, uma cadeira de vime e uma cama de casal. O Homem de Terno está sentado, mantém o terno, mas o nó da gravata está desfeito. Tem nas mãos o livro* A Flor Azul, *de Novalis. As batidas na porta despertam-no da sua introspecção. Abre e deixa uma mulher entrar.*)

HOMEM DE TERNO — Fez como eu lhe disse?

PROSTITUTA — Sim, ninguém me viu, vim andando. Não é muito longe, mas estou cansada.

HOMEM DE TERNO (*Apontando a cadeira.*) — Sente-se e descanse. Vou lhe trazer uma bebida. (*Ele abre uma garrafa de vinho tinto e lhe entrega a taça.*)

PROSTITUTA (*Já com a taça de vinho na mão.*) — Você é jovem. Pensei encontrar um homem mais velho.

HOMEM DE TERNO — Está decepcionada?

PROSTITUTA — Não, pelo contrário. É que no mundo de hoje os jovens não gostam de mulheres como nós, preferem fazer sexo com suas coleguinhas de escola.

HOMEM DE TERNO — Então está feliz por eu ser mais jovem?

PROSTITUTA — Sim, os velhos, muitas vezes, têm dificuldades em conseguir a ereção. Muita vontade e pouco vigor. Dão muito trabalho.

HOMEM DE TERNO — Talvez você tenha mais trabalho comigo.

PROSTITUTA — Por que? Você tem algum problema? Não trouxe aquelas pílulas milagrosas?

HOMEM DE TERNO — Não se trata disso, meu problema não é físico.

PROSTITUTA — E qual é seu problema?

HOMEM DE TERNO (*embaraçado*) — É algo em minha cabeça. Faço um esforço enorme para desejar uma mulher, mas nem sempre meu cérebro responde.

PROSTITUTA — Não consegue se excitar?

HOMEM DE TERNO — Não é isso, muito pelo contrário. Basta você me tocar e estarei pronto para lhe satisfazer.

PROSTITUTA (*Rindo, meio debochada.*) — Ora, ora! E eu que pensei que cabia a mim lhe dar prazer. (*Olha para ele, curiosa.*) — Mas se fica com tesão, qual é o problema?

HOMEM DE TERNO — Não fico com tesão, esse é o problema, fico apenas excitado.

PROSTITUTA (*Levantando-se com a taça de vinho na mão.*) — Não entendi, você fica excitado, mas não tem tesão?

HOMEM DE TERNO (*Fingindo irritação.*) — Não lhe chamei aqui para discutir minha personalidade. Quero sexo, só isso.

PROSTITUTA (*Aproxima-se dele, beija-o e começa a alisar seu sexo.*) — Desculpe, meu lindo. Mas fiquei curiosa. Veja, bastou tocar em você e ele já está duro.

HOMEM DE TERNO (*Com a expressão de quem gostou do elogio.*) — Pois é, é sempre assim. Basta um contato e fico excitadíssimo, e sei que sou um bom amante. Sei fazer sexo e dar prazer a uma mulher. Mas quando estou dentro dela, tenho a sensação de que falta algo, uma incompreensível incompletude. Como se eu quisesse alguma coisa mais, alguma coisa diferente. Continuo excitado, mas perco o tesão. É como se eu desejasse naquele momento ter outra mulher e não aquela. E, talvez por isso, o gozo não tem a força que eu espero. É estranho, por isso chamo vocês, mulheres experientes, na esperança de que inflamem meu desejo.

PROSTITUTA (*Deixa a taça em cima do piano e carinhosa, começa a passar a mão nos cabelos dele.*) — Meu lindo! (*Beija-o mais uma vez.*) Tão forte e tão carente. Não vê que é simples? Você precisa antes de tudo gostar do que está fazendo e depois se entregar ao prazer que lhe proporciona aquilo que faz. Sabe, eu gosto de sexo e isso me excita e me dá tesão.

HOMEM DE TERNO (*irônico*) — Não é de sexo que você gosta, mas do dinheiro que ele lhe proporciona.

PROSTITUTA — Não é verdade. Eu gosto do que faço, gosto de sexo. Sempre fui assim, desde menina vivia me esfregando nos garotos. Sempre fui fogosa e continuo sendo, mesmo tendo muitos homens. O dinheiro é bom, claro, paga minha faculdade, mas não é só isso; você pode não acreditar, mas eu sinto prazer em mostrar meu corpo, em ser penetrada por um homem. Claro, nem todo dia é assim. Tem dias que estou ali só pelo dinheiro e tem aqueles homens que dão nojo na gente, pelo que falam e pela maneira que agem, mas tem aqueles que sabem o que é deitar-se com uma mulher. E desses eu gosto. Não sei quem você é, e provavelmente nunca mais vou vê-lo, mas posso adorar fazer sexo com você.

HOMEM DE TERNO (*Fica calado por um tempo, enquanto ela passa a mão sobre seu sexo.*) — Então venha, faça sexo comigo. Me faça ter tesão por uma mulher.

(*Ela se afasta e começa a tirar a roupa. Mostra que é uma bela mulher e, nua, aproxima-se dele pelas costas. Então abraça-o e desabotoa a camisa vagarosamente, alisando seu peito. Despois, desata o cinto, desabotoa a calça e ele, excitadíssimo, se desvencilha das roupas. E, como se estivesse com uma recém-casada, carrega a prostituta e a coloca na cama. Começam a se amar violentamente. Extasiada, ela parece feliz e se entrega, grita, e pede que ele a penetre mais fundo; ele o faz, mas permanece frio, quase mecânico, apesar da violência com que atende aos desejos dela. Ao fim, ele levanta-se, veste as calças e senta-se na cadeira de vime, pensativo.*)

PROSTITUTA (*Nua, ainda demonstrando certo deleite.*) — Que foi, meu lindo? Está triste? Não lhe dei o amor que você esperava?

HOMEM DE TERNO — É como lhe disse, há algo de muito estranho em mim. Por vezes penso que tenho mais tesão na dor do que no amor. Ver alguém morrer não me dá a depressão que sinto agora.

PROSTITUTA (*Com um ar professoral.*) — Deixe que eu lhe diga: você fez sexo comigo como poucos homens fizeram. Você sabe como deixar uma mulher louca de prazer, não faz sexo como os homens fazem. Não vai em busca do gozo de forma irracional, como deve ser. É como se sua mente determinasse que deve agir desta e daquela forma, mas seu corpo não parece envolvido com aquilo...

HOMEM DE TERNO — Chega de psicologismo barato! Pegue seu dinheiro em cima do piano e vá embora. Você fala muito, para uma prostituta, e me fez falar mais do que de costume.

PROSTITUTA (*Com um ar de quem descobriu o segredo dele.*) — Antes de ser puta, sou mulher, e é como mulher que lhe digo: talvez você esteja procurando sexo no lugar errado.

HOMEM DE TERNO (*Levantando-se e demonstrando irritação.*) — O que você quer dizer?

PROSTITUTA — Já vi muitas coisas na vida e acho que o sexo que vai lhe satisfazer não está nas mulheres, mas nos homens.

HOMEM DE TERNO (*Autoritário, quase gritando.*) — Vista-se e saia daqui, agora! Pegue o dinheiro e suma, antes que seja pior para você. (*A prostituta veste-se rapidamente, pega o dinheiro e vai embora. Ele fica em silêncio, com uma expressão chateada, como se de há muito já soubesse o que ela acreditou ter descoberto agora.*)

CENA III

(*A mesma sala. O Homem de Terno está ao piano e toca* Bachianas Brasileiras N. 5*: Ária. A arma descansa a seu lado. Um murmúrio avisa que há alguém na porta. Ele para de tocar, pega o revólver e vai abrir. Entra uma mulher jovem, de cabelos morenos escorridos, olhos fundos e vermelhos, olheiras enegrecidas. Traz uma cesta de mantimentos.*)

HOMEM DE TERNO — Trouxe a comida?

MULHER MORENA (*Apontando para a cesta.*) — Está aqui. (*Breve silêncio.*) Será hoje?

HOMEM DE TERNO — Sim. O emissário virá hoje à noite, e trará o dinheiro. É tempo de acabar com isso.

MULHER MORENA — Não será possível salvá-lo?

HOMEM DE TERNO (*Com um sorriso cínico.*) — É tarde para esse tipo de preocupação, você devia ter pensado nisso antes. Aliás, estou convencido de que as mulheres, quando cruéis, o são mais do que os homens. Você não hesitou em entregá-lo a mim e, no entanto, ele a tirou das ruas. E é um homem culto, interessante. Você não tem remorso?

MULHER MORENA — Não! É um vaidoso que não se preocupa com ninguém a não ser consigo mesmo. (*Silencia, depois recomeça*). Ele descobriu uma forma de ajudar a humanidade, mas não fez isso porque deseja bem ao próximo, fez isso por pura soberba, para elevar-se acima dos seus pares, para ser reconhecido pelos homens e pela academia. É só isso o que lhe importa.

HOMEM DE TERNO — A vaidade tem uma gota de gênio, dizia o filósofo. E não é pecado grave o suficiente para ter a morte como punição. Se assim fosse, uma boa parte da humanidade estaria condenada. E não me parece que ele seja tão egoísta quanto você sugere; afinal, tirou-a da sarjeta, fez-lhe largar as drogas. Você preferiu, no entanto, voltar a elas e, mais uma vez, vendeu tudo para consegui-las.

MULHER MORENA (*agressiva*) — Ei, você não tem nada com isso. Não se faça de rogado, não me venha com esse ar de bom moço, que você é pior do que eu. Sim, eu voltei a me drogar, é isso o que quero, esse é o prazer que me fascina e não a ilusão que ele propunha. Eu uso drogas desde os quinze anos, em busca delas cheguei ao fundo do poço, violentei meu corpo e minha alma, não poderia, de repente, transformar-me numa, numa... senhora. É verdade, eu precisava de ajuda e não nego. Naquele momento ele me salvou, mas não o fez por amor ao próximo, nem pelos meus belos olhos. Foi mais um troféu para sua coleção. (*Imita uma conversa de comadres.*). "Lá vem o doutor com sua nova esposa... Era dependente em último grau, mas ele a curou, fez dela uma nova mulher e ainda se casou com ela. É um homem especial." (*Novamente agressiva.*). Isso tudo me dava nojo, ele me apresentava como se eu fosse a cobaia que demonstrava o sucesso de sua experiência.

HOMEM DE TERNO — Mas foi bom, você largou as drogas, tornou-se uma mulher da alta sociedade.

MULHER MORENA (*Com ar de incredulidade.*) — Você acredita verdadeiramente que ele poderia me transformar de maneira tão definitiva? Não, as pessoas não mudam assim, tão rapidamente. Ele não me queria como sou, queria fazer de mim o que ele desejava que eu fosse. Foi o ápice da sua presunção. Fazer de mim uma obra sua.

HOMEM DE TERNO — Está bem, você deve ter lá suas razões, e a mim nada disso diz respeito. (*Um longo silêncio, ambos ficam subitamente reflexivos.*)

MULHER MORENA — Posso ficar aqui um pouco. Apesar de tudo, quero estar próxima dele, quando for a hora.

HOMEM DE TERNO — Não creio que isso seja de valia para você ou ele. Melhor seria ir à cozinha, preparar-lhe o último jantar. Se ele é tão vaidoso como você diz, vai encarar a derradeira refeição como uma oferenda.

MULHER MORENA — Eu... Eu trouxe uma garrafa de vinho.

HOMEM DE TERNO — Se for de boa cepa, ele certamente lhe agradecerá. (*Saem os dois. A mulher dirige-se à cozinha e começa a preparar a refeição. O Homem de Terno vai buscar o prisioneiro, trazendo-o à sala.*)

CENA IV

HOMEM DE TERNO (*Passando a mão carinhosamente pelos cabelos do interlocutor.*) — Então, como está?

HOMEM DE GUARDA-PÓ (*Surpreendido com o gesto.*) — Continuo perplexo. Ainda não consigo entender por que vai tirar minha vida, embora comece a me habituar com a ideia. Não posso me acostumar, porém, com a suposta naturalidade que você encontra no ato de matar. "Faz parte do equilíbrio do cosmo." Não é um argumento, é uma justificativa, quase um pedir perdão.

HOMEM DE TERNO — Quis apenas lembrar-lhe de que os homens matam-se uns aos outros a cada minuto e, de certa forma, isso é bom para manter o equilíbrio no planeta. Os homens morrem e o mundo continua o mesmo.

HOMEM DE GUARDA-PÓ — (*Agressivo e irônico.*) Ah!, é tudo muito simples, é a evolução natural da vida. Então se mate, porra! Acabe com a própria vida e contribua assim para o perfeito equilíbrio do cosmo, mas deixe os outros em paz. Quem fez de você o iluminado, responsável pela proporção ideal de seres humanos no planeta? Sua racionalidade não esconde o que de patológico e doentio existe em suas ideias. Você morrerá e o mundo continuará o mesmo. É mentira! É falso! O mundo jamais será o mesmo, a minha existência o diferencia.

HOMEM DE TERNO — Acalme-se, a neurastenia não vai lhe mudar a sorte. (*Passa-lhe a mão pela face, carinhosamente.*) Além disso, rompe com a suavidade do seu rosto.

HOMEM DE GUARDA-PÓ (*Mais calmo.*) — O assassinato de um homem não equilibra a natureza, como você insinua; ao contrário, rompe com a evolução gradual e lenta em que se constitui a existência. Um homem, um intelectual, aceita a incumbência de matar outro homem. Não faz isso por ódio, por uma causa, ou por vingança. Não há passionalidade ou o medo que se transfigura em agressão. Mata por dinheiro. Não posso crer no que você diz (*Balança a cabeça em sinal de descrença.*), não posso crer, é inverossímil.

HOMEM DE TERNO — Verossimilhança é um atributo escasso no mundo.

HOMEM DE GUARDA-PÓ — Você não compreende meu espanto? Fui sequestrado por um homem especial, não um pistoleiro comum, mas um homem letrado, inteligente, que me anuncia a morte de maneira cândida, como se isso fosse algo simples e corriqueiro.

HOMEM DE TERNO (*sorrindo*) — Ora, não é tão mal assim.

HOMEM DE GUARDA-PÓ — Está bem, não gosto da ideia, mas vou tentar me habituar; a morte nos espera a todos, mais cedo ou mais tarde, não é mesmo? Posso resignar-me a ela, mas não posso aceitar o agente da minha morte. Enquanto vigia, você toca noturnos ao piano e declama versos. A qualquer momento me conduzirá ao túmulo, mas enquanto espera, lê Dante. Dá vontade de rir. Você não é real, não tem consistência. Não é possível alguém ser ao mesmo tempo civilizado e bárbaro.

HOMEM DE TERNO — Engano seu. Alexandre era assim e Júlio César também. Mas, vamos, acalme-se. Você está nervoso. Fala compulsivamente e tem medo. É como todos os outros. Dá excessivo valor à vida. Apega-se a ela desesperadamente, mas nós ainda temos tempo, reservo-lhe um fim digno. Quanto ao ato de matar, veja se me entende: imagine uma praça em Xangai; melhor, imagine a Praça da Paz Celestial, em Pequim, onde milhares de jovens se reuniram clamando por liberdade. Como você imagina que cada um desses chineses vê a si mesmo? Ele se crê único, tem desejos, ama, luta por um ideal e tem medo da morte. Individualmente, o jovem chinês sente-se o centro do mundo e as coisas acontecem à sua volta de acordo com essa percepção. Em termos individuais, ele é realmente único, mas em termos coletivos é insignificante. É apenas um entre bilhões, e seu desaparecimento não causa qualquer dano ao equilíbrio da espécie humana. A morte de um homem não altera nada. É o nosso orgulho, a nossa presunção, que não aceita a incontestável insignificância humana. Ao assassinar dezenas de pessoas na praça, os comunistas chineses foram bárbaros, mas apenas sob o ponto de vista político; sob o aspecto do equilíbrio geral das coisas foi algo comum, até benéfico para a humanidade. São bilhões de chineses, a morte de um punhado deles não significa nada. Existem outros milhares com cérebros semelhantes, ideias semelhantes. Entende?

HOMEM DE GUARDA-PÓ — Agora você revela com clareza o caráter fascista de suas ideias. Começo a entender melhor sua forma de encarar a morte.

HOMEM DE TERNO — Não leve a discussão para o campo político. Não há fascismo algum. A ideia de uma raça superior é absurda, como lhe disse há pouco. Todos são homens e todos são insignificantes. Vermes pensantes, mas, antes de tudo, vermes. Além do mais, se há aqui algum fascismo, não virá ele acaso de você, que acredita em homens superiores, que crê na existência de uma raça de primeira classe?

HOMEM DE GUARDA-PÓ — Eu não falo em raça, falo em homens! E entre eles é óbvia a diferenciação. A superioridade a que me refiro é individual. É o indivíduo que se torna superior a outro indivíduo, não por força hereditária, mas social ou, se quiser, circunstancial. Veja você, por exemplo: veio aqui na determinação de me matar. Isso não é um ato superior. É bárbaro. Em alguma medida, mormente toda sua erudição, você é um primitivo.

HOMEM DE TERNO — É engraçado a importância que você dá à vida, como se ela fosse algo inestimável. Os gregos e os romanos não lhe prestavam tanta atenção. Quantos romanos abriram as veias e esperaram serenamente que sua força vital se esvaísse? Para eles, a vida era insignificante. Não há nada de primitivo em tirar a vida, pelo contrário. Se existe alguma superioridade é daquele que é capaz de tirar a própria vida, por sabê-la inútil, pequena e desimportante.

HOMEM DE GUARDA-PÓ — Deixe de bobagem. Só acreditarei na sua apologia suicida quando o vir estourando os próprios miolos. E quanto aos gregos, não se esqueça de que todos eles tinham, de uma forma ou de outra, a crença na continuidade da vida após a morte. Por isso matavam-se serenamente; mas nós, que temos consciência da materialidade do ser humano, que sabemos não haver nada após a morte, temos medo. Vem daí o apego à vida. É só o que nos resta.

HOMEM DE TERNO — Mas diga-me, por que temer o nada? O nada é a mais perfeita expressão da felicidade. Se não há consciência não há sofrimento, dor ou alegria. O nada é o Nirvana, a paz total inconsciente. E só a morte leva ao nada, por isso ela é imprescindível. É verdade, e talvez provenha daí sua inquietação, que o ser humano é o único animal que tem consciência da morte. Nenhum outro carrega tal peso, e morrem sem saber que estão fadados a morrer. Talvez daí venha a necessidade humana de criar deuses e seitas em que aparece, invariavelmente, a promessa de uma outra vida. É uma maneira inteligente de esquecer o fadário inevitável. Mas se, conscientemente, aceitamos a insignificância da morte de um indivíduo, tudo se torna mais fácil. É certo, vou morrer, mas isso não altera nada.

HOMEM DE GUARDA-PÓ — Talvez você tenha razão. A consciência da morte é uma carga pesada demais para o homem. Mas não será exatamente essa consciência que gera nele a necessidade de imortalizar-se por meio da criação? Pode-se falar na morte de Shakespeare, se há pouco você declamou o *Hamlet*?

HOMEM DE TERNO — Essa é outra falácia. Shakespeare de há muito é lama, pó para vermes. Nada nele é imortal. A imortalidade está na obra, não em quem a escreveu. Se não fosse Shakespeare, outro escreveria o *Hamlet*, aliás, nem sequer sabe-se se ele realmente o escreveu. O autor não é nada ante sua obra.

HOMEM DE GUARDA-PÓ (*Novamente nervoso.*) — Oh! Por favor, deixemos de lado as divagações. Chega! Não posso estar a filosofar sabendo que dentro em pouco estarei morto. Diga-me, não é possível um acordo? Faça o preço e lhe pagarei.

HOMEM DE TERNO (*Com ar de riso.*) — Não me tome por um pistoleiro barato. Foi você quem determinou sua morte, não eu. Eu sou apenas o agente que vai concretizá-la. Seu destino foi selado pela sua inteligência de homem superior, capaz de levar a cabo uma sensacional descoberta. E não me venha dizer que não esperava um desfecho assim. Foi a ciência que lhe pôs ante a iminência da morte, e não há como retroceder ou renegociar. Sua morte faz parte de um negócio grande, em que todas as peças se encaixam. Deixá-lo vivo seria embaralhar o quebra-cabeça.

HOMEM DE GUARDA-PÓ — Mas não vê que minha morte não resolverá nada? Eu apenas descobri uma substância...

HOMEM DE TERNO — Capaz de inibir os mecanismos da dependência química às drogas. Aliás, como é mesmo essa mágica?

HOMEM DE GUARDA-PÓ — Não é mágica, apenas ciência. Uma molécula similar à molécula de qualquer droga é associada a uma proteína, tornando-se assim detectável pelo sistema imunológico. Depois de reconhecida pelos anticorpos, a molécula da droga é destruída, antes que se torne ativa.

HOMEM DE TERNO — Ou seja: o sujeito se empanturra de cocaína e nenhum barato, a droga simplesmente não faz efeito, os glóbulos brancos se encarregam de destruir as moléculas da droga. É brilhante, mas tal descoberta pode pôr fim à mais lucrativa indústria do planeta.

HOMEM DE GUARDA-PÓ — E você acha que minha morte resolve o problema? Não percebe que outros cientistas seguirão meus passos e descobrirão a mesma coisa? Crê realmente que pode extinguir a ciência eliminando cientistas?

HOMEM DE TERNO — Meu caro, sua descoberta pode destruir o mais rentável negócio do planeta e isso não pode ocorrer. Por isso eles me pagam para matá-lo. Você é um homem dotado. Descobrir como inibir fisicamente o incontrolável desejo do viciado é algo inimaginável. Um antídoto perfeito, a droga antidroga! Nunca pensei que fosse possível chegar a isso. A humanidade lhe será eternamente grata — talvez lhe concedam um Prêmio Nobel, mas você não terá a oportunidade de recebê-lo. Uma parcela dos homens não deseja ser salva.

HOMEM DE GUARDA-PÓ — Não vê que com isso seria possível livrar a humanidade do tráfico de drogas e do vício que leva à dependência e à morte?

HOMEM DE TERNO — Não sei se vale a pena o esforço. Você, que tanto defende a liberdade do indivíduo, não confia no seu livre-arbítrio, na sua capacidade de tomar decisões; quer, em vez disso, privá-lo das escolhas. Delega ao corpo uma decisão que deveria ser tomada pelo cérebro e abre espaço para os que amam o cerceamento da liberdade. O problema é que, fatalmente, sua vacina antidroga será imposta aos homens sem o seu consentimento. Assim, você privaria o mundo de gente como Jimi Hendrix, Janis Joplin, De Quincey, Baudelaire e tantos outros que, apesar da droga ou por causa dela, engrandeceram a saga da humanidade.

HOMEM DE GUARDA-PÓ — Poderiam engrandecê-la muito mais, não fosse o vício que lhes tirou a vida. E o que dizer daqueles que não possuem a arte como consolo, que apenas se destroem sem nada construir?

HOMEM DE TERNO — Sim, os inferiores. Mas aqueles seres que você considera inferiores não têm o direito de extrapolar sua pequenez na indescritível viagem que as drogas propiciam? Quem você pensa que é? Quem lhe deu o direito de reduzir as possibilidades de autodestruição do homem? Quem lhe deu o direito de evitar que o homem potencialize sua imaginação ao extremo, mesmo que isso lhe custe a vida? Não, o vício é um direito. Um legítimo antídoto — este sim — ao tédio da existência. De que vale viver 80 anos na mais obscura pasmaceira existencial vegetando como um parasita no corpo de uma sociedade sem sentido? Não é melhor viver apenas um terço de vida, desde que seja plena, imprevisível, insuperável? Creio firmemente que você está praticando um desserviço a uma parcela da humanidade. Quanto a destruir a ciência, não é preciso tanto, mas é possível matar tantos cientistas quantos forem necessário.

HOMEM DE GUARDA-PÓ — Isso é puro sofisma, porra! Está certo, cada um deve fazer com o seu corpo o que bem entende. Se quer drogar-se, tudo bem, entupa-se de cocaína e saia daquilo que você define como tédio existencial, mas dê uma oportunidade àqueles que experimentaram a euforia e agora querem liberar-se dela. Sabe, as pessoas podem libertar-se do vício. Dediquei a vida inteira a isso e fiz da minha vida pessoal a imagem real dessa possibilidade. Casei-me com uma viciada. Uma bela mulher, que havia chegado ao fundo do poço: eu a libertei, antes de ter em minhas mãos a vacina contra a droga. E sabe por que o fiz? Porque no fundo ela sempre desejou largar o vício, mas não tinha força. Eu lhe dei essa força e agora posso dá-la a todos.

HOMEM DE TERNO — E se eu lhe disser que a mulher que você crê ter salvado não queria ser salva? Se eu lhe disser que ela é igual a todos os outros que anseiam por entupir seus corpos de cocaína para, assim, tornarem-se o que desejariam ser? Sua querida esposa de há muito está de volta ao vício.

HOMEM DE GUARDA-PÓ — Não é bem assim. Eu sei que ela teve recaídas, mas agora bastarão algumas injeções e ela nunca mais deitará suas narinas no pó branco.

HOMEM DE TERNO — Acho que você não entendeu, ou não quer entender. Ela está, desde muito, com as narinas podres. Enquanto você se trancava no laboratório em busca de sua gloriosa descoberta, ela andava pelos morros, gastando seu dinheiro. E deixe de ser hipócrita, você mesmo fechou as portas do banco para que ela não gastasse tudo. Em represália, ela novamente vendeu tudo o que tinha para satisfazer seu desejo, vendeu seu corpo, sua dignidade, vendeu você.

HOMEM DE GUARDA-PÓ (*Com expressão de perplexidade.*) — Não, ela não faria isso.

HOMEM DE TERNO — Fez. Sem as informações dela, eu não poderia trazê-lo até aqui. Mas as mulheres são assim mesmo, às vezes traem por amor, outras vezes por desforra.

HOMEM DE GUARDA-PÓ (*Põe-se a andar de um lado para outro, em desespero.*) — É mentira, é mentira... Ela não faria isso. (*De repente avança para o Homem de Terno, gritando.*) Você mente, você mente! (*O Homem de Terno abraça-o, passa as mãos nos seus cabelos, toca os lábios na pele áspera do pescoço. O Homem de Guarda-pó começa a chorar, a cabeça nos ombros do outro.*)

HOMEM DE TERNO — Vamos, acalme-se, não é tão mal assim. Pior se ela lhe tivesse posto um par de chifres.

HOMEM DE GUARDA-PÓ (*Ainda perturbado, sem ouvir o que o outro disse.*) — Ela me entregou a você, mas por que fez isso?

HOMEM DE TERNO — Por dinheiro, para comprar a cocaína de que necessita. É simples, embora ela queira justificar o que fez com algum sentimento mais nobre, se é que a vingança pode ser considerada assim.

HOMEM DE GUARDA-PÓ — Não posso crer... não é verdade.

HOMEM DE TERNO — Venha vê-la, então.

HOMEM DE GUARDA-PÓ (*nervoso*) — Ela está aí? Ela está aí? (*O Homem de Terno leva-o em direção à sala de jantar.*)

HOMEM DE TERNO — Acalme-se. Suporta-se melhor a traição do que a morte.

CENA V

(*Entram na sala de jantar. A mesa está posta cuidadosamente. As taças colocadas em posição, uma garrafa de vinho aberta. A Mulher Morena está sentada numa marquesa, cabeça baixa. Não vê os homens entrarem. O Homem de Guarda-pó aproxima-se dela, que levanta os olhos e permanece em silêncio. O Homem de Terno deixa os dois, senta-se ao piano próximo e começa a tocar o terceiro movimento da* Sinfonia N. 4 *de Mahler.*)

HOMEM DE GUARDA-PÓ — Por que fez isso?

MULHER MORENA — Precisava fazê-lo.

HOMEM DE GUARDA-PÓ — Eu sabia que você não me amava, mas não pensei que desejasse minha morte.

MULHER MORENA — Não desejo sua morte.

HOMEM DE GUARDA-PÓ — Então por que me entregou a ele, porra?

MULHER MORENA — Eu precisava da droga, sem ela não sou ninguém.

HOMEM DE GUARDA-PÓ — Eu lhe dei tudo, fiz de você uma mulher respeitada, dei-lhe o amor que nenhum homem jamais lhe deu, dei-lhe amigos, joias, uma casa. Dei-lhe minha vida e em troca você me presenteou com a morte.

MULHER MORENA — O que você me deu qualquer homem poderia dar. E não mudou nada, eu continuei sendo o que sempre fui.

HOMEM DE GUARDA-PÓ (*agressivo*) — Eu sei, continuou sendo uma vadia drogada, que vende o corpo em troca de um punhado de pó. (*Avança para a mulher, que fica em silêncio, olhando para o chão. De repente para, senta-se no sofá e põe as mãos no rosto. Ela aproxima-se.*)

HOMEM DE GUARDA-PÓ (*chorando*) — Existe tristeza maior do que ser traído por quem você mais ama no mundo?

MULHER MORENA — Você não me ama, ama apenas você mesmo. Nem isso, talvez. Ama apenas a imagem que criou de si próprio e deseja preservá-la a qualquer custo. Eu sou apenas parte dessa imagem, e você me usou para compô-la.

HOMEM DE GUARDA-PÓ — É possível, mas fiz isso trazendo-a de volta à vida.

MULHER MORENA — Você não me trouxe de volta à vida, ao contrário, apenas tentou fazer de mim o que eu nunca poderia ser.

HOMEM DE GUARDA-PÓ — Eu a salvei e em troca você entregou-me a ele. Tramou a minha morte, friamente, premeditadamente.

MULHER MORENA — Não tramei sua morte. Ele me seguiu durante um mês, acompanhou meu desespero, tirou-me das mãos dos traficantes, deu-me o alimento sem o qual não posso viver.

HOMEM DE GUARDA-PÓ — Vendeu-me por um punhado de pó.

MULHER MORENA — Não, vendi-o para poder continuar a ser eu. E eu sou eu, quando estou drogada. Você não percebe? Eu não me adapto ao que sou, eu detesto ser quem sou, por isso amo a cocaína, ela me faz ser como eu desejaria.

HOMEM DE GUARDA-PÓ — A cocaína lhe reserva a morte ou a infâmia.

MULHER MORENA — Prefiro a morte, a ser quem sou.

HOMEM DE GUARDA-PÓ — Eu posso livrá-la da dependência, descobri uma vacina contra a droga, fiz isso por você e por todos que necessitam acordar desse pesadelo.

MULHER MORENA — Fez isso por você mesmo!

HOMEM DE GUARDA-PÓ — Mas fiz. Dedico-me a salvar vidas, não a perdê-las.

MULHER MORENA — Você não entende, não quero ser salva, quero morrer. (*Treme o corpo, numa leve convulsão.*) — Está vendo, preciso do meu deus branco, sem ele nada sou. (*Começa a chorar.*)

HOMEM DE GUARDA-PÓ (*Passando a mão no cabelo dela, com repentina compaixão, falando baixo para que o Homem de Terno não escute.*) — Salve-me, e eu a livrarei do vício.

MULHER MORENA — Não quero livrar-me dele, por isso não posso ajudá-lo. (*Aponta para o homem de terno.*) — Ele talvez possa.

HOMEM DE GUARDA-PÓ — Como assim?

MULHER MORENA — Ele gosta de você. Diverte-se com suas discussões filosóficas. Não vê como o observa? Talvez possa valer-se disso.

HOMEM DE GUARDA-PÓ — Não creio.

MULHER MORENA — Fiz um jantar para você.

HOMEM DE GUARDA-PÓ — É só isso o que pode me dar?

MULHER MORENA — Posso lhe dar qualquer coisa: meu remorso, meu corpo, que parece não ser meu. Posso lhe dar tudo, menos a mim, pois não se oferta o que não se tem.

HOMEM DE GUARDA-PÓ — Deu-me a morte.

MULHER MORENA — Perdoe-me. Nunca desejei sua morte. Desejo a droga, apenas isso. (*Os dois se abraçam e ficam assim por algum tempo. Resignado, o Homem de Guarda-pó beija-a levemente, sua mão passeia pelo corpo dela, os seios e o ventre. Acaricia-a, como se estivesse se despedindo. O Homem de Terno para de tocar o piano, coloca um CD no aparelho de som com a mesma sinfonia, o mesmo movimento. Dirige-se à mesa.*)

HOMEM DE GUARDA-PÓ (*Sussurrando, sem deixar de tocá-la.*) — Ele vem vindo.

MULHER MORENA — Continue! Se deixá-lo ver, ele apreciará nosso triste amor. (*O Homem de Terno senta-se à mesa, serve o prato e enche a taça, começa a beber e a comer devagar, os olhos fixos no casal. Eles continuam a se beijar, primeiro lentamente, depois com volúpia, tiram suas roupas aos poucos e fazem amor no chão. O Homem de Terno assiste à cena com indizível prazer. Ao final, prepara uma lâmina com três carreiras de pó, levanta-se e entrega a ela, que cheira com avidez.*)

HOMEM DE TERNO (*Passando a mão carinhosamente no peito do Homem de Guarda-pó.*) — Você é belo e forte, merece viver.

CENA VI

(*Os homens saem da sala, deixando a mulher em êxtase. Vão para um aposento contíguo, onde o Homem de Terno senta-se e acende um charuto. Conversam durante longo tempo. De repente, o Homem de Guarda-pó começa a andar de um lado para outro, depois ajoelha-se, põe as mãos nas pernas do outro. Está calmo.*)

HOMEM DE GUARDA-PÓ — Diga-me: não há um meio de escapar disso? Qualquer coisa. Eu farei qualquer coisa que você quiser; mas, por favor, deixe-me viver.

HOMEM DE TERNO — Não há como escapar. Tudo está decidido. Qualquer mudança agora seria perigosa. Não posso negar minha simpatia por você, faz-me bem ouvi-lo, mas não há mais o que fazer.

HOMEM DE GUARDA-PÓ (*Levanta-se lentamente.*) — Diga-me ao menos por quê. Por que um homem como você dedica-se a matar?

HOMEM DE TERNO — Olha, eu gosto de você, por isso perco meu tempo nessa conversa. Mas vou dizer-lhe: acredito firmemente em tudo o que lhe disse até agora. O homem é um ser insignificante, e sua morte não representa qualquer dano ao perfeito equilíbrio das coisas. Se é assim posso ganhar a vida matando, é tão simples como ganhá-la escrevendo, ou estripando porcos. É um trabalho como outro qualquer. Não há qualquer diferença, a não ser uma que determina a escolha de minha opção. É que não gosto de escrever livros ou estripar porcos. Gosto de matar. Não se assuste, é a verdade. Sinto prazer em tirar a vida. A primeira vez em que me deparei com a possibilidade de matar foi terrível. Racionalmente eu ainda tentei evitar a detonação, mas algo dentro de mim impelia-me a puxar o gatilho, um impulso incontrolável. No momento do crime, senti prazer, uma espécie de saciedade, quase um orgasmo. São insondáveis os mistérios da personalidade humana. O cérebro é um caldeirão em ebulição constante, e é impossível decifrar a estranha porção que ali se prepara. Toda minha erudição que a você surpreende é resultado do meu desejo de matar. Foi tentando descobrir o que se passava em meu cérebro que li tudo, que busquei nos tratados médicos, na psicanálise e na literatura uma explicação. Mas essa explicação simplesmente não existe. São insondáveis os nossos mistérios. O mais incrível, no entanto, é que, assim como me aproximei da morte, começo a cansar-me dela. Também isso começa a me parecer tedioso.

HOMEM DE GUARDA-PÓ — Pense bem, então. Se a vontade de matar já não lhe satisfaz, deixe-me ir, livre-me disso. Eu lhe imploro, por favor! Eu seria capaz de tudo, qualquer ato, qualquer coisa.

HOMEM DE TERNO (*Fica pensativo durante algum tempo, depois pergunta com um ar de incredulidade.*) — Qualquer coisa?

HOMEM DE GUARDA-PÓ — Sim, sim. O que você quiser. Determine e eu o farei. Mas deixe-me viver. (*O Homem de Terno aproxima-se lentamente. As mãos alisam a cabeleira quase grisalha do Homem de Guarda-pó. Estão um diante do outro.*)

HOMEM DE TERNO (*Com sensualidade.*) — Qualquer coisa? (*O Homem de Guarda-pó permanece em silêncio, a expressão estranha, um pouco de medo, talvez asco, mas, à medida que o outro se aproxima, ele parece querer se entregar. O Homem de Terno beija-o na boca de leve, depois com ânsia, furiosamente. Começa a acariciá-lo com lascívia e, beijando-o, vai tirando-lhe a roupa, com rapidez. Despe-se também e afastando-se um pouco, olha nos olhos do outro.*)

HOMEM DE TERNO (*Sem roupa.*) — Você seria capaz de dar-me o prazer que há pouco deu a ela? (*O Homem de Guarda-pó nada diz, puxa-o para si, beija-o na boca. A luz vai desaparecendo, enquanto eles fazem sexo... A luz volta devagar. Estão ambos no chão, nus, pensativos. O Homem de Terno demonstra satisfação e acaricia levemente o peito do outro. Ficam assim durante alguns segundos.*)

HOMEM DE TERNO (*reflexivo*) — Você seria capaz de matar?

HOMEM DE GUARDA-PÓ (*Olhando para seu corpo nu.*) — Acho, agora, que eu seria capaz de qualquer coisa.

HOMEM DE TERNO — De matar? Matar um homem?

HOMEM DE GUARDA-PÓ (*Saindo da postura reflexiva.*) — Não, isso não! Dediquei minha vida a salvá-los. Não, eu não poderia fazê-lo.

HOMEM DE TERNO — Pois bem, eu gosto de você, faz-me bem tê-lo ao meu lado. Creio mesmo que poderia amá-lo... Você anseia viver?

HOMEM DE GUARDA-PÓ — É o que mais quero... Por favor, salve-me!

HOMEM DE TERNO — Pois bem, lhe darei uma chance. Dentro em pouco receberemos a visita de um homem, ele virá só, porque assim foi combinado; trará uma passagem para a Europa e meio milhão de dólares. É quanto vale sua vida. Vê como lhe tenho em conta! Para qualquer outro, o preço seria bem menor. Veja, o único elo entre mim e a Organização é esse homem que virá checar se o trabalho foi feito. Somente ele seria capaz de me identificar. O dinheiro me será entregue contra a apresentação do seu cadáver e tudo estará concluído. Ele se encarregará do corpo e eu voarei de imediato para a Europa. Tudo perfeito, combinado, ajustado. Mas aí entra uma questão que lhe favorece: gosto de você e não confio neles. Nada me garante que, depois de alcançar o objetivo, a Organização não queira livrar-se de mim para reaver os 500 mil dólares. Além disso, estou preso a eles, aqui ou no exterior estarei sempre a mercê deles, a não ser que possa partir o elo que nos liga. (*Fica em silêncio, pensativo.*). Eles são poderosos, estão por toda parte, mas apenas um deles conhece meu rosto. Se me livro dele, posso largar tudo.

HOMEM DE GUARDA-PÓ — Sim, sim.

HOMEM DE TERNO — Sabe, estou um pouco farto disso tudo, acho que cansei de matar. A repetição torna a morte tediosa. (*Novamente pensativo.*) Eu poderia sair disso, desvencilhar-me deles, bastaria matar a ambos.

HOMEM DE GUARDA-PÓ — A ambos?

HOMEM DE TERNO — Sim. A mulher e o homem que virá com o dinheiro.

HOMEM DE GUARDA-PÓ — Ela? Por que precisa matá-la?

HOMEM DE TERNO — Por intermédio dela eles chegarão a mim.

HOMEM DE GUARDA-PÓ — Meu Deus!

HOMEM DE TERNO — Não se preocupe, dela eu me encarregarei.

HOMEM DE GUARDA-PÓ — E o homem?

HOMEM DE TERNO — É aí que você entra. Veja, posso dar-lhe a liberdade em troca de um gesto. Mas... (*Mostra a arma ao outro.*) é você que terá de matá-lo, se o fizer estará salvo.

HOMEM DE GUARDA-PÓ (*Olhando fixamente o revólver.*) — Não..., não... eu não seria capaz, não sei como fazê-lo e não teria coragem. Por que você mesmo não o faz? Você é um profissional, sabe como agir.

HOMEM DE TERNO — Não é possível. Ele não é bobo, virá prevenido, armado, e deve encontrar-me aqui. Se notasse alguma coisa, reagiria. Além disso, temo que não venha só — e aí eu precisaria estar livre para dar conta dos demais.

HOMEM DE GUARDA-PÓ — Sim, mas o que eu teria de fazer?

HOMEM DE TERNO — Você estará no chão, morto. Ele se aproximará de mim e verá seu corpo, eu lhe pedirei que abra a pasta com o dinheiro. Então, no momento em que ele estiver abrindo a pasta, você apertará o gatilho. Ele estará de costas, não haverá como errar. Percebeu? É simples. Você terá apenas de disparar a arma.

HOMEM DE GUARDA-PÓ — Meu Deus! Matar um homem a sangue-frio, pelas costas. Não, eu não conseguiria. Eu não sou capaz de tal ato.

HOMEM DE TERNO — Claro que você é capaz! Todos nós somos capazes de matar. E não é raro sentir prazer. Além do mais, trata-se da sua vida. Se não o matar, morrerá. É a lei, é a sobrevivência. Mas eu compreendo sua inquietação. Ah! Ah! Ah! É uma ironia, uma grande ironia. Quem há pouco fazia um discurso sobre a excelência do homem civilizado se vê agora diante da barbárie. Quem considerava bárbaro o ato de matar vê-se agora diante dele. Mas não se apavore, você irá fazê-lo e terá a desculpa perfeita para o seu ato: legítima defesa. Lembre-se: não há homens superiores, não há Deus, não há civilização, as circunstâncias determinam tudo e, a depender delas, somos todos bárbaros. Está feito?

HOMEM DE GUARDA-PÓ (*pensativo*) — Tenho poucas alternativas, não acha?

HOMEM DE TERNO — Está feito?

HOMEM DE GUARDA-PÓ — Está bem, afinal o homem é um traficante, um assassino. Se não matá-lo, ele matará outros. Talvez seja melhor para todos.

HOMEM DE TERNO — Ah! Ah! Que ótimo! Sua mente já racionaliza o ato. Você é daqueles que administram bem os remorsos.

HOMEM DE GUARDA-PÓ — Sem ironias, por favor! Como vou fazê-lo?

HOMEM DE TERNO — Não se preocupe. Será simples e rápido. No momento em que ele se voltar para abrir a pasta, você detonará a arma, todo o pente, sem parar. A distância é perfeita. Não há como errar...

HOMEM DE GUARDA-PÓ — E como vou ter certeza de que você me deixará ir embora? Como posso saber que, depois de matá-lo, não fará o mesmo comigo?

HOMEM DE TERNO — Isso você só descobrirá na hora, mas não se preocupe, não tenho por que matá-lo. Faça sua parte e estaremos livres, nós dois, fugiremos juntos. A Viena de Mahler não seria um bom destino?

HOMEM DE GUARDA-PÓ — Como posso estar certo de que você não me matará? Eliminando-me, você acabaria com todas as testemunhas e estaria livre. Não posso confiar em você.

HOMEM DE TERNO — Não há alternativa. No mundo, ninguém pode confiar inteiramente em ninguém, e você não tem saída: é a sua morte ou a dele. Tudo o mais resolveremos depois.

HOMEM DE GUARDA-PÓ — Está bem, mas salve-a.

HOMEM DE TERNO — Não posso, e você me ajudará a matá-la.

CENA VII

(*Na sala de jantar escura, a mulher morena, nua, continua deitada no chão. Os homens entram silenciosamente. O Homem de Terno acende a luz. Ao perceber, ela levanta-se, encara-os e abre os braços.*)

MULHER MORENA — Estou pronta!

HOMEM DE TERNO — Pronta para que?

MULHER MORENA — Sei que vai me matar. Seria irracional manter-me viva, sabendo que eu posso reconhecê-lo. Mas não me importo. (*Olha para o Homem de Guarda-pó.*) — Não é por você, é por mim. Sei que serei mais feliz em outra parte, qualquer que seja ela.

HOMEM DE TERNO — E se não houver outra parte?

MULHER MORENA — Não me importo, quero morrer. (*O Homem de Terno levanta a arma.*)

MULHER MORENA — Espere! O pó, por favor, o pó! (*O Homem de Terno vai até a mesa, tira do bolso o pó e prepara as carreiras. Entrega ao Homem de Guarda-pó, que se recusa a pegar. O Homem de Terno entrega ele mesmo a droga. A mulher curva-se, aspira e, depois de algum tempo, em êxtase, abre os braços.*)

MULHER MORENA — Atire!

HOMEM DE GUARDA-PÓ — (*Levando as mãos ao rosto.*) Não! (*O Homem de Terno atira, um tiro certeiro, no coração. A mulher demora alguns segundos para cair, o sangue manchando lentamente a pele alva. A mulher cai. Um silêncio curto e depois, lá fora, um ruído de automóvel.*)

HOMEM DE TERNO — Ele está chegando! Confie em mim, eu gosto de você. (*Aproxima-se do Homem de Guarda-pó, alisa-lhe o cabelo, passa a mão de leve sobre o seu rosto, beija-o na boca.*) Confie em mim, não vou traí-lo... Mas não há tempo a perder. (*Puxa o Homem de Guarda-pó para junto da mulher.*) Lambuze-se de sangue e deite-se, vamos. Tome a arma, segure-a e faça-se de morto. Deite-se, rápido. (*O Homem de Guarda-pó vacila, mas deita-se junto a ela.*) E não se esqueça, atire no momento certo. Agora fique quieto, ele vem vindo! (*Um homem entra no salão, andando devagar. Traz uma pasta na mão.*)

O EMISSÁRIO (*Olhando para os corpos.*) — Como é, fez o serviço?

HOMEM DE TERNO — Claro, mas não foi tão fácil. Na hora agá, a mulher tentou salvá-lo. Sabe como elas são, entregam e depois se arrependem. Tive de matá-la também. E o dinheiro?

O EMISSÁRIO (*Mostrando a mala.*) — Está aqui, em notas de 100. Deixe-me ver o corpo.

HOMEM DE TERNO — Não, deixe-me primeiro ver o dinheiro!

(*O emissário vira de costas para pôr a mala na mesa. Quando a está abrindo, os tiros começam a atingi-lo, ele cai. O Homem de Guarda-pó permanece em pé, arma na mão, o guarda-pó manchado do sangue da mulher morena.*) (*Eles ficam em silêncio por um tempo. O Homem de Terno parece satisfeito.*)

HOMEM DE TERNO — Você foi brilhante, parecia um profissional. Três tiros quase à queima-roupa. (*O Homem de Guarda-pó nada diz, parece estranhamente calmo.*)

HOMEM DE TERNO — Perfeito, mas diga-me, como se sentiu? A coisa não é tão mau assim, hein?

HOMEM DE GUARDA-PÓ — Não... Você tem razão.

HOMEM DE TERNO — Deixe isso pra lá. Ao dinheiro. É preciso contá-lo. Olhe, se quiser, podemos viajar juntos. Que acha?... (*Larga o revólver e começa a contar o dinheiro.*) — Cem, duzentos, trezentos...

HOMEM DE GUARDA-PÓ (*Ainda perplexo.*) — Foi fácil, a possibilidade de com um gesto eliminar o que nos angustia.

HOMEM DE TERNO — Ei, ei, chega de filosofia! É preciso ir. (*O Homem de Guarda-pó aponta a arma para ele.*) Ei!... O que é isso? Espere, calma, abaixe a arma. O que deu em você? Não é possível. Não..., você é um cientista. Por favor! Não!... Olhe! O dinheiro... é todo seu. Espere... Por favor... Não, não atire!

HOMEM DE GUARDA-PÓ — Você tinha razão, são insondáveis os mistérios do cérebro humano. Afinal, é como você diz, somos todos insignificantes. A morte é o nosso único troféu. É preciso ajudar a natureza a apressá-la. Além disso, com um tiro, posso transformar tudo isso num pesadelo.

HOMEM DE TERNO — Por favor, não atire! Não...

HOMEM DE GUARDA-PÓ (*Puxa o gatilho e atira três vezes.*) — Está consumado. E o mundo continuará o mesmo.

IX

O escritor ouviu o som do tiro ecoar no teatro repleto. Viu o ator dizer as palavras derradeiras e as cortinas se abaixarem. Depois, saboreou a intensidade da aclamação e surpreendeu-se com a sincronia perfeita com que o público se levantou para transformar o aplauso em ovação. Ouviu seu nome ser chamado ao palco e gostou da roupa simples e elegante com que se mostrou à plateia. Pensou no que ia dizer: "meu intento foi mostrar à ética as suas contradições; à moral a sua flexibilidade e à crença a sua volubilidade". Achou que estava sendo pernóstico e que a ocasião não se prestava ao discurso. Mas não pôde recompor suas palavras, as palmas tornaram-se estrepitosas e mãos que ele nunca desejou tão perto começaram a tocá-lo. De repente, Dost pulou ao palco e a assistência aterrorizou-se com o tamanho do *perro*; seu latido ressoou no teatro como uma trombeta bíblica expulsando do paraíso os incautos espectadores, e o escritor viu-se novamente sozinho, o cão a seus pés. Interpelou-o:

— Será isso o que eu almejo? Ou apenas cobiço o que abominarei quando obtiver?

Dost não respondeu. Sua lógica não podia elucidar o desejo exacerbado de reconhecimento, o anseio de notoriedade não ocupava seus neurônios — mobilizados agora pelo ranger do portão que se abria deixando entrar a figura que agora lhe parecia bem menos execrável do que ele gostaria. Mais silencioso do que de costume, o editor contornou a varanda evitando o cachorro e foi ao encontro do autor em busca do último original. Tomou-o nas mãos e leu-o.

— Mas é teatro!

— Não, é um conto teatralizado.

— Não sabia do seu pendor para a dramaturgia — disse, meio surpreso.

— Machado de Assis pode vir em minha defesa: "Tenho o teatro por coisa muito séria, e as minhas forças por coisa muito insuficiente". Pode ser visto como uma peça, mas para mim é um conto teatralizado e, afinal, que importa isso?

— Em um concurso seu livro seria desclassificado. Não é um livro de contos, é uma mistura de teatro, poesia, sei lá mais o quê.

— Não creio. Os jurados perceberiam que, embora sem sucesso e sem brilho, eu tentei, fundado numa presunção sem pejo, fazer com a literatura o que Joyce fez com as palavras. Este livro é um romancontoteatro.

— Você deveria concentrar suas forças na prosa. A trama até que é interessante, mas no palco quanto mais personagens, melhor. Com poucos personagens, a ação torna-se monótona.

— O bruxo do Cosme Velho poderia vir de novo em meu auxílio: *Lição de Botânica* tinha quatro personagens e nenhuma monotonia.

— Machado de Assis? Não me consta que houvesse escrito peças de teatro.

— Pois as escreveu, comédias e cenas dramáticas, belas e bem escritas.

Ele não deu importância ao comentário. Reflexivo, fixando o original, limitou-se a indagar:

— Você não crê que eu vá publicar essa mistura de prosa, teatro e sei lá o que mais? Não vai incluir poesia?

— Já o fiz. A literatura não tem códigos. A prosa pode ser poesia, assim o quis Rilke; a literatura pode ser teatro, assim o quis Shakespeare. A arte de escrever não tem regras, se as tivesse Rabelais nos teria privado de *Gargantua* e *Pantagruel*; Rosa não criaria a língua do sertão, Joyce não teria feito na literatura o que o esperanto jamais conseguiu na linguagem.

— Eu sei de tudo isso, meu caro. Por meus olhos passaram mais textos do que sua pena seria capaz de escrever, mas os tempos são outros e já não permitem experimentos. O leitor de hoje quer algo simples, que possa seguir sem sobressaltos, de preferência com uma pitada de misticismo e autoajuda em cada parágrafo. De antemão, posso lhe garantir que este livro não será um sucesso de público.

O escritor não retrucou, ocupado em desencavar a ideia maligna que ainda guardava num escaninho do cérebro. O editor sentiu uma ponta de remorso, lembrou-se de si mesmo antes, quando ainda era possível exercitar sua vocação, sua ânsia em descobrir novos autores recompensada não tanto pelo retorno financeiro, mas antes de tudo, pelo prazer de desencavar um grande texto. Tentou explicar-se:

— Vocês, escritores, pensam que tudo é fácil, que basta simplesmente achar uma editora, publicar o que escrevem e tudo está resolvido, mas não é bem assim. Uma editora tem custos, compromissos e os juros escorchantes não...

— Poupe-me o detalhe econômico — interrompeu o escritor —, e lembre-se: foi sua a proposta dos vocábulos.

— Eu sei, mas temo que esse texto não agrade ao público. Creio que você não deseja conquistá-lo, seus contos carecem de simplicidade, tratam de temas sérios com irreverência. Além disso, essa miscelânea — prosa, teatro, poesia — tende a afastar a maioria ledora.

— Posso conquistá-la por seu intermédio.

— Eu sei, mas temo que não seja com esses escritos.

— Sabe, estou escrevendo uma história, semelhante a essas que pululam nas estantes das livrarias dos *shoppings*. É uma história policial, cujo enredo encantará seu leitor médio. Vou mesclá-la com estes escritos que você supõe incapazes de agradar ao público e, assim, criar um *best-seller*.

— Sim, que história é essa?

— É a saga de um escritor que anseia pela notoriedade e, desesperado por não poder alcançá-la, resolve assassinar seu editor.

A réplica veio sem ocultar a surpresa:

— É um enredo inverossímil, nenhum escritor eliminaria seu elo com o público.

— É um enredo mais factível do que você pensa. Imagine um autor obcecado pelo reconhecimento e às voltas com um editor que pensa apenas no retorno financeiro das obras que agencia. Imagine um escritor desencantado, cujos temas evadiram-se sem que a notoriedade chegasse, que já pôs no papel muitas das suas ideias e, ainda assim, o público o desprezou. Na sua desesperação ele escreve um livro, ansioso por agradar a quem tem o poder de publicá-lo e a quem tem o poder de dar-lhe a fama. Mas seu editor lhe propõe um jogo de palavras, quer um livro que seja uma espécie de roteiro para uma série, recheado de sexo, violência, paixão, vício. É isso que ele deseja, e propõe ao autor sete vocábulos, para que os transforme em contos que possam ser lidos como se fossem *videoclips*. O escritor pouco tem a lhe oferecer, apenas um livro, igual aos milhares que chegam todos os dias às livrarias e, desinteressado, o editor o desdenha. Mas a literatura salva o escritor. Reúne seus contos num tema maior: a vida de um escritor frustrado que não alcança a popularidade. Dá-lhe um enredo policial: o assassinato do homem que lhe subtrai o acesso ao público, que lhe suprime a possibilidade de publicação. Adota uma abordagem psicológica, com rasgos de realismo fantástico, um texto diferente que atraia o leitor e ao mesmo tempo o exile, que lhe dê asas para logo adiante cortá-las.

— Não vejo por que o público se interessaria por uma história dessa, o público nem sequer sabe o que faz um editor.

— O público não quer saber se o morto é editor, maquinista ou jogador de futebol. Todos eles são dispensáveis. A única coisa indispensável é a história e o que se quer contar com ela.

— Não é bem assim, na medida do possível, todos somos imprescindíveis.

— Ninguém é imprescindível, se eu o matasse ainda assim meus livros continuariam existindo.

— Nenhum autor teria a coragem de eliminar seu contato com o público — reagiu. Depois, com um riso fingido, afirmou:

— Você não existe sem mim, tampouco eu tenho vida sem você.

O cão latiu, chamando atenção do dono.

— Dost não crê que seja assim. Acha que um livro contando a história de um autor que assassina seu editor seria um *best-seller* nato, que interessaria a muitos editores, e todos eles têm o poder de dar notoriedade.

O ranger da madeira no telhado demonstrou que a Casa parecia concordar. Assustado, o homem apressou-se em dizer:

— Talvez valha a pena editar seus contos, afinal foi esse o pacto.

— Não. O acordo foi outro. "Faço-lhe uma proposta: em tempo semelhante ao que Deus necessitou para criar o mundo, escreva um livro. Em troca, lhe darei a celebridade." A fama, não apenas a publicação, essa foi a sua promessa. Mas estou convencido; ainda que publique meus contos, eles não terão o condão de me transformar em celebridade. Permanecerei no anonimato, um escritor entre milhares.

— Quanto a isso, não posso fazer nada.

— Mas eu posso. Posso matá-lo e assim a celebridade será imediata. Basta um gesto e estar-me-ão garantidas as edições dos jornais televisivos, as primeiras páginas dos grandes diários e as capas das revistas semanais. Dezenas de repórteres dormirão na minha porta à espera de declarações e o impacto será maior quando eu revelar ao mundo que não só escrevi um livro em que assassino meu editor, mas que o fiz de verdade.

— Você está louco — disse, tentando disfarçar o mal-estar.

— Louco pela popularidade. Meu livro será um *best-seller* e eu serei conhecido em toda parte.

— Mas passará o resto dos seus dias na cadeia.

— A celebridade é mais importante que a liberdade. E, talvez, não seja necessário perdê-la.

— Como assim?

Nervoso, o editor calou-se. Convenceu-se de que o escritor pretendia verdadeiramente assassiná-lo. Suas mãos começaram a tremer, o lábio inferior pôs-se a bater incessantemente contra o lábio superior e um suor espesso brotou da sua pele. Levantou-se e olhou ao seu redor: a porta, antes escancarada, fechou-se sozinha; as janelas, sempre abertas, viram os trincos cerrarem-se; os muros, muito altos, pareceram mais altos ainda. Dost encarou-o e o movimento de recuo foi inevitável, mas a parede da sala avançou, impedindo o movimento, o chão começou a tremer e as telhas moveram-se dos seus encaixes. Com um sorriso nos lábios, o escritor murmurou:

— Os cães não deixam digitais.

Foi então que Dost pulou no pescoço do editor. Desesperado, ele tentou desvencilhar-se, mas a telha que partiu sua cabeça caiu no exato momento em que as presas do cão atingiram sua jugular.

* * *

Na última página do livro, o editor viu seu sangue jorrar, sentiu os dentes do cão estraçalharem-lhe as carnes, viu seu corpo estertorar e os olhos vidrarem-se. Impressionado, murmurou:

— É, talvez seja melhor eu publicar esse livro.

FIM

LEIA DO MESMO AUTOR

Maria Madalena:
O evangelho segundo maria

Não houve fuga da sagrada família para o Egito. Jesus chamava Maria Madalena de "minha discípula amada" e quis casar com ela. Ouviu como resposta: "O casamento não me encanta". Antes do beijo de Judas, Cristo ganhou de Madalena um beijo nos lábios. Em linguagem altiva, essas e outras passagens da vida de Jesus Cristo são narradas por Armando Avena neste romance irreverente. A Geração reedita Maria Madalena — O Evangelho segundo Maria num momento oportuno, em que as mulheres ainda lutam por mais espaço na sociedade machista. Avena escreve uma versão feminina da história de Jesus Cristo, dando voz às mulheres mais próximas do Messias, duas Marias: a mãe e Madalena. Elas se desdobram para fazer a cabeça de Jesus e salvá-lo da cruz. Ele se mostra fiel aos desígnios de Deus, mas à mesa da última ceia a mãe e a amada sentam-se ao lado dele. Às vésperas da morte, Cristo anuncia que seu reino será das mulheres. Um romance apaixonante.

LEIA DO MESMO AUTOR

Luiza Mahin e o estado islâmico no Brasil

Em janeiro de 1835, quase mil escravos, todos vestidos de branco e com armas nas mãos, tomaram a cidade de Salvador por um dia com o objetivo de libertar os escravos e criar um Estado Islâmico no Brasil. E entre eles havia uma mulher: uma guerreira negra, linda e sensual, de nome Luiza Mahin. Esse livro conta sua luta e seus amores e a saga dos negros que se rebelaram em nome da liberdade. Luiza Mahin é um símbolo da emancipação das mulheres e traz no sangue a sensualidade das heroínas de Jorge Amado e a força das dezenas de negras que morreram lutando pela liberdade.

Impressão e Acabamento | **Gráfica Viena**
www.graficaviena.com.br
Santa Cruz do Rio Pardo - SP, ano 2021